INGLESE

per viaggiare

MANUALE DI CONVERSAZIONE

4000 parole • 2000 frasi

Ideazione e coordinamento della collana
Paolo Piazzesi

Hanno collaborato:

traduzione
Michael Barbour
Stephanie Johnson

fonetica
Letizia Vezzosi

redazione e revisione
Aldo Castellani

progetto grafico
Matteo Lucii

impaginazione
Stefania Cinotti

La sezione sulla celiachia (pp.106-107) è stata scritta e tradotta da Aldo Castellani.

L'Editore e l'Autore ringraziano il Prof. Alberto Nocentini del Dipartimento di Linguistica dell'Università di Firenze per i preziosi suggerimenti. Ringraziano inoltre Pierandrea Bongiorno e Cecilia Picchi per la collaborazione redazionale.

www.giunti.it

Via Bolognese, 165 - 50139 Firenze - Italia
Via Dante, 4 - 20121 Milano - Italia
Nuova edizione 2007

Ristampa	Anno
5 4 3 2 1 0	2011 2010 2009 2008 2007

Stampato presso Giunti Industrie Grafiche S.p.A.
Stabilimento di Prato

ISTRUZIONI PER L'USO

Questo prontuario di conversazione, di nuova concezione, contiene circa 4000 termini e oltre 2000 frasi, ripartiti in 5 AREE (CAPIRE, VIAGGIARE, VIVERE, RISOLVERE, SCOPRIRE) ciascuna suddivisa in più SITUAZIONI. Ognuna di esse corrisponde alle concrete situazioni e alle esigenze, normali o eccezionali, che si presentano durante viaggi e permanenze all'estero. Le frasi sono ordinate secondo l'andamento che, prevedibilmente, il dialogo assumerà nella realtà. Nell'ambito di ogni situazione è concentrata tutta la gamma di termini e di frasi che essa può richiedere. *Alle domande e alle richieste del turista sono opportunamente intercalati gli interventi dell'interlocutore straniero, là dove è probabile o necessario che essi si verifichino. Abbiamo dato grande spazio e rilievo alle indicazioni necessarie per pronunziare correttamente i termini stranieri e farsi capire immediatamente. Per individuare ciascuna Situazione all'interno del prontuario, utilizzate il dettagliatissimo SOMMARIO (a pag. seguente); per soddisfare immediatamente una determinata esigenza o trasformarlo in un dizionarietto, consultate l'INDICE DI PRONTO IMPIEGO (pag. 255).*

COME SI LEGGE IL PRONTUARIO

- in **grassetto tondo** (carattere normale) le parole e le frasi italiane;
- in tondo le relative traduzioni;
- nei lessici di ogni situazione, in terza colonna, la spiegazione della corretta pronuncia;
- in **grassetto tondo colorato**, domande e risposte degli interlocutori stranieri o i testi di cartelli e avvisi sonori;
- in tondo le traduzioni di queste frasi e degli avvisi.

NON DIMENTICATEVI CHE...

- alcune frasi prevedono varie alternative, segnalate da puntini di sospensione: sarà cura dell'utente scegliere la soluzione confacente, utilizzando i termini dei lessici relativi e quelli contenuti nell'Area 1 (vedi oltre);
- il frasario è anche un *tramite materiale* di comunicazione con l'interlocutore. In caso di difficoltà, è consigliabile infatti ***mostrarne le pagine indicando la parola o la frase che si intende comunicare*** (troverete la "formula magica" a pag. 191); oppure chiedere al nostro interlocutore di fare lo stesso per indicarci la risposta o la soluzione al nostro quesito.

SOMMARIO

La consultazione di questo articolatissimo SOMMARIO è una **guida** infallibile per orientarvi fra Aree e Situazioni e individuare (*soprattutto in anticipo*) le pagine dove si trovano i termini che vi serviranno. Complementare al sommario, l'**INDICE DI PRONTO IMPIEGO** (pag. 255) è una **scorciatoia** per raggiungere immediatamente la parola o la frase che vi occorrono in un dato momento, e una **chiave** per usare il prontuario come un dizionarietto. Volete sapere come si dice "Buonanotte" in inglese? Cercate nell'indice la classe relativa ("Saluti") e nel lessico di pagina 23 troverete che si dice "Goodnight". Non dimenticate di cercare anche fra le "Parole utili nel viaggio" (Area 1.4, pp. 27-35), dove ci sono senza dubbio il sostantivo, l'aggettivo, il verbo e l'avverbio che fanno al caso vostro e che vi permettono sia di integrare a dovere le frasi a opzione aperta (*segnalata da puntini di sospensione*) che di comporre da soli nuove frasi!

LA LINGUA INGLESE

L'inglese è la lingua ufficiale di moltissimi stati sparsi nei cinque continenti ed è compreso in quasi tutti i paesi del mondo. Data la sua enorme diffusione, esso presenta molte varianti regionali, sia per quanto riguarda la pronuncia che le espressioni. Questo frasario rispetta la Received Pronunciation (Pronuncia Standard).
La pronuncia dell'inglese presenta parecchie difficoltà per uno straniero, perché è molto irregolare (contrariamente alla grammatica e alla sintassi, abbastanza elementari).
A parte il fatto, non di poco conto, che diversi suoni non trovano equivalenti nella nostra lingua, non vi è, in inglese, una rigorosa corrispondenza fra segni e suoni: infatti ad una stessa grafia può corrispondere più di una pronuncia.
Come fare? Soltanto l'uso e la consuetudine, oltre ai dizionari, potranno trarci d'imbarazzo. Pertanto qui verranno fornite non tanto strette regole di pronuncia, quanto indicazioni relative agli usi fonetici più frequenti.

NORME ELEMENTARI PER LA PRONUNCIA

Nel prospetto e negli esempi che seguono, ad ogni suono corrisponde una precisa grafia, rappresentata con la trascrizione fonetica AFI (Alfabeto Fonetico Internazionale) facilitata.
L'accento ['] è posto direttamente sulla vocale interessata, oppure all'inizio di parola se cade sulla prima sillaba. Sarete in grado così di distinguere e pronunziare correttamente tutti i suoni e qualsiasi parola.

Indichiamo qui alcune basilari norme AFI:
- il segno [:] indica l'allungamento del suono corrispondente.
- [ks] corrisponde al suono italiano X di *taxi*.
- [ə] è il simbolo fonetico di una vocale indistinta inesistente in italiano, dal suono simile a quello d'una E chiusa che, pronunciata arrotondando le labbra, tenda verso la O.

La decifrazione dei suoni corrispondenti agli altri segni AFI è molto semplice, facendo attenzione agli esempi di volta in volta proposti.

L'alfabeto inglese è composto dalle seguenti 26 lettere:

A	ei	B	bi:	C	si:
D	di:	E	i:	F	ef
G	dʒi:	H	eitʃ	I	ai
J	dʒei	K	kei	L	el
M	em	N	en	O	ou
P	pi:	Q	kiu:	R	a:
S	es	T	ti:	U	iu:
V	vi:	W	dabliu:	X	eks
Y	uai	Z	zed		

LE VOCALI

rappr. graf.	rappr. fonet.	esempio inglese	pronu. appr.	posizione e osservazioni
a	[æ]	c**a**t	kæt	Davanti alle consonanti. Suono lungo equivalente ad una A molto aperta, tendente alla E.
	[a:]	b**a**r	ba:	Davanti alla lettera R. Come il suono A in italiano.
	[ei]	r**a**ce	reis	Davanti a una consonante seguita da una vocale. Come il suono EI di *quei*.
	[ɔ:]	m**a**ll	mɔ:	Davanti alla lettera L. O aperta e prolungata.
e	[e]	b**e**st	best	Davanti a una consonante finale o a due consonanti. Come il suono E di *festa*.
	[i:]	th**e**se	ði:z	Davanti a una consonante seguita da vocale. Come il suono I in italiano.
	[muta]	min**e**	main	In fine di parola.
i	[i]	th**i**s	ðis	È un suono breve intermedio fra la I e la E italiane.

rappr. graf.	rappr. fonet.	esempio inglese	pronu. appr.	posizione e osservazioni
	[j]	Ind**i**an	indjən	Semiconsonante palatale articolata come il suono di I in *ieri*.
	[ai]	m**i**ne	main	Davanti a una consonante seguita da una vocale. Come il suono AI di *mai*.
o	[ɒ]	n**o**t	nɒt	Come una O molto aperta così da assomigliare ad A.
	[ɔ]	b**o**y	bɔi	O aperta come in *oggi*. Simile al suono precedente, ma meno aperto.
	[əu]	b**o**th	bəuθ	Perlopiù davanti a consonante seguita da una vocale, o a una consonante.
	[ʌ]	m**o**ther	mʌðə	In alcuni casi. Non esiste in italiano; suono intermedio tra la A e la O.
u	[ʌ]	m**u**ch	mʌtʃ	Davanti a due consonanti o una consonante finale. Come sopra.
	[u]	p**u**t	put	Perlopiù nei monosillabi. È un suono breve intermedio fra la O e la U italiane.
	[ju:]	d**u**ne	dju:n	Davanti a una consonante seguita da una vocale. Come il suono IU di *più* allungato.
y	[j]	**y**et	jet	All'inizio della parola. Come il suono I italiano in *ieri*.
	[ai]	b**y**	bai	Perlopiù nei monosillabi. Come il suono AI di *mai*.
	[i]	purel**y**	pjuəli	Nelle altre posizioni. Come il suono I in italiano.

GRUPPI DI LETTERE

rappr. graf.	rappr. fonet.	esempio inglese	pronu. appr.	posizione e osservazioni
ai-ay	[ei]	p**ay**	pei	Come il suono EI di *quei*.
aw	[ɔ:]	p**aw**	pɔ:	O aperta, come in *oggi*, e prolungata.
ou	[u:]	y**ou**	iu:	Come il suono U italiano.
ea-ee-ei	[i:]	ch**ea**p	tʃi:p	Come il suono I italiano.
ew	[ju:]	n**ew**	nju:	Come il suono IU di *più*.
er-ir-re	[ə]	fath**er**	fa:ðə	Di solito in fondo alla parola. Non esiste un suono italiano corrispondente. È un suono breve, intermedio fra una E chiusa e una O pronunciata senza arrotondare le labbra.
ere	[iə]	h**ere**	hiə	Non esiste un suono italiano corrispondente. Vedi sopra l'esempio di *father*.
igh	[ai]	m**igh**t	mait	Come il suono AI di *mai*.
ng	[ŋ]	ri**ng**	riŋ	Perlopiù in fondo alla parola. È una N particolarmente nasale.
oa	[əu]	b**oa**t	bəut	Non esiste in italiano. Assomiglia a OU in *noumeno*.
oo	[u:]	b**oo**m	bu:m	Come il suono U italiano.
	[u]	b**oo**k	buk	È un suono breve intermedio fra la O e la U italiane.
our-or	[ɔ:]	f**our**	fɔ:	O aperta, come in *oggi*, e prolungata.
ch	[tʃ]	**ch**ange	tʃeindʒ	Come il suono C di *cena*.

rappr. graf.	rappr. fonet.	esempio inglese	pronu. appr.	posizione e osservazioni
ph	[f]	**ph**oto	fəutəu	Come il suono F italiano.
sion	[ʒ]	vi**sion**	viʒən	Come il suono della G in *beige*.
sh	[ʃ]	**sh**e	ʃiː	Come il suono SC in *scena*.
tion	[ʃ]	sta**tion**	steiʃən	Vedi sopra.
th	[ð]	**th**is	ðis	Interdentale sonora. Suono prossimo alla D, pronunziata mettendo la lingua fra i denti e facendola vibrare.
	[θ]	**th**ick	θik	Interdentale sorda. Suono prossimo alla T, pronunziata mettendo la lingua fra i denti ed emettendo l'aria senza farla vibrare.
er/ir/or/ur	[ɜː]	w**o**rk	wɜːk	Assomiglia ad un suono intermedio tra la O aperta e la E aperta. È sempre lungo.
ssure/ ssion	[ʃ]	pre**ssure**/ oppres**sion**	preʃə / ɒpreʃən	
sure	[ʒ]	plea**sure**	pleʒə	
ou	[au]	l**ou**d	laud	Come AU in a*uspicio*.

LE CONSONANTI

rappr. graf.	rappr. fonet.	esempio inglese	pronu. appr.	posizione e osservazioni
b	[b]	**b**ig	big	Come il suono B italiano.
c	[s]	**c**inema	sinəmə	Davanti alle lettere E, I, Y. Come il suono S di *sera*.
	[k]	**co**ffee	kɔfi	Negli altri casi. Come il suono C in *casa*.

rappr. graf.	rappr. fonet.	esempio inglese	pronu. appr.	posizione e osservazioni
d	[d]	**d**ate	deit	Come il suono D italiano. Pronunciato appoggiando la lingua al palato anteriore e non sui denti.
f	[f]	**f**or	fɔ:	Come il suono F italiano.
g	[dʒ]	**ge**neral	dʒenərəl	Davanti alle lettere E, I e Y. Come il suono G di *gita*.
	[g]	**gi**ve	giv	Davanti alle lettere E, I, Y e negli altri casi.
		go	gəu	Come il suono GH di *ghiro*.
h	[h]	**h**ouse	haus	È il suono H velare, appoggiato sul palato posteriore. Non esiste un suono italiano corrispondente.
j	[dʒ]	**J**ohn	dʒɔn	Come il suono G di *giorno*.
k	[k]	**k**ey	ki:	Come il suono CH di *chi*.
	muta	**kn**ow	nəu	Davanti alla lettera N.
l	[l]	**l**ittle	litl	Come il suono L italiano.
m	[m]	**m**oney	mʌni	Come il suono M italiano.
n	[n]	**n**o	nəu	Come il suono N italiano.
p	[p]	**p**rice	prais	Come il suono P italiano.
q	[kw]	**qu**estion	kwestʃən	Come il suono di QU in *questo*.
r	[r]	**r**oom	ru:m	Prima di una vocale. La pronuncia è simile a quella del suono R italiano, ma più debole: la lingua sfiora appena il palato.

rappr. graf.	rappr. fonet.	esempio inglese	pronu. appr.	posizione e osservazioni
s	[s]	**p**urse	pɜ:s	Come il suono S in *sera*.
t	[t]	**t**able	teibl	Come il suono T in italiano, ma appoggiando la lingua al palato anteriore anziché sui denti.
w	[w]	**w**as	wɔz	Si pronuncia come la U italiana (ad esempio, come *whisky*).
x	[ks]	ta**x**i	tæksi	Come il suono X italiano.
z	[z]	**z**ero	zi:rəu	Come la S di *rosa*.

VERBI AUSILIARI INGLESI

	TO BE (*essere*)	TO HAVE (*avere*)
I (*io*)	am (*sono*)	have (*ho*)
you (*tu*)	are (*sei*)	have (*hai*)
he, she, it (*egli, ella, esso*)	is (*è*)	has (*ha*)
we (*noi*)	are (*siamo*)	have (*abbiamo*)
you (*voi*)	are (*siete*)	have (*avete*)
they (*essi, esse*)	are (*sono*)	have (*hanno*)

CONIUGAZIONE DEI VERBI

Tutti i verbi inglesi all'infinito sono preceduti dalla particella to [tu] che scompare nella coniugazione (es. to ask, *chiedere*; I ask, *io chiedo*).

AREA 1. CAPIRE

In quest'Area, nella quale il lessico prevale sul frasario, si elencano i termini e le espressioni di uso più comune, che compongono quel vocabolario di base indispensabile in ogni paese per capire, farsi capire e comunicare in qualsiasi momento.

È importante sottolineare che questa sezione completa e integra le successive: ad esempio, se vorrete sapere come pronunciare i numeri e le cifre, indispensabili quando telefonate o pagate, dovrete trovarli qui (nelle frasi delle Aree seguenti, infatti, al posto delle cifre troverete dei puntini di sospensione, che indicano la necessità di completare la proposizione); se vorrete imparare i nomi dei giorni per prenotare camere o tavoli, o come si chiede e si dice l'ora, dovrete cercare qui; se vorrete memorizzare le ordinarie espressioni di cortesia indispensabili per porgere qualsiasi tipo di quesito, dovrete farlo qui. A proposito, attenzione: è difficile (per non dire impossibile) ottenere alcunché senza pronunciare la parola magica: **please**.

1.1 IL TEMPO E LE SUE SUDDIVISIONI

tempo (astron.)	time	*'taim*
alba	dawn	*'dɔ:n*
aurora	sunrise	*'sʌnraiz*
mattino	morning	*'mɔ:niŋ*
mezzanotte	midnight	*'midnait*
mezzogiorno	midday	*'middei*
notte	night	*'nait*
pomeriggio	afternoon	*a:ftənú:n*
sera	evening	*'i:vniŋ*
tramonto	sunset	*'sʌnset*
anno	year	*'jiə*
data	date	*'deit*
equinozio	equinox	*'i:kwinɒks*
giorno	day	*'dei*
mese	month	*'mʌnθ*
minuto	minute	*'minit*
ora	hour	*'auə*
secolo	century	*'sentʃuri*
secondo	second	*'sekənd*
settimana	week	*'wi:k*
stagione	season	*'si:zn*

LOCUZIONI TEMPORALI DI USO COMUNE

a giorni alterni	alternate days	*ɔ:ltέnət 'deiz*
domani	tomorrow	*təmɒ́rəu*
domattina	tomorrow morning	*təmɒ́rəu 'mɔ:niŋ*
domani sera	tomorrow evening	*təmɒ́rəu 'i:vniŋ*
dopodomani	the day after tomorrow	*ðə 'dei 'a:ftə təmɒ́rəu*
due giorni fa	two days ago	*tu: 'deiz əgə́u*
entro il mese	before the end of the month	*bifɔ́: ði end ɒv ðə 'mʌnθ*
ieri	yesterday	*'iestədei*
il mese prossimo	next month	*'nekst 'mʌnθ*
il mese scorso	last month	*last 'mʌnθ*

in mattinata	in the morning	*in ðə 'mɔ:niŋ*
in serata	in the evening	*in ði 'i:vniŋ*
oggi	today	*tədéi*
quest'anno	this year	*ðis 'jiə*
questa settimana	this week	*ðis 'wi:k*
stamattina	this morning	*ðis 'mɔ:niŋ*
stanotte	tonight	*tənáit*
stasera	this evening	*ðis 'i:vniŋ*
una volta alla settimana	once a week	*wans ə 'wi:k*

L'ORARIO (ORE E MINUTI)

Che ore sono?
What is the time? *hwɒt iz ðə 'taim*

Sono le ...
It's ... *its*

... tre (in punto).
... three o'clock (exactly) *θri: ə 'klɒk igzǽktli*

... tre e dieci.
... ten past three. *ten past θri:*

... tre e un quarto.
... a quarter past three. *ə 'kwɔ:tə past θri:*

... tre e venticinque.
... twenty-five past three. *'twenti faiv past 'θri:*

... tre e mezza.
... half past three. *'ha:f past θri:*

... quattro meno venti.
... twenty to four. *'twenti tu 'fɔ:*

... quattro meno un quarto.
... a quarter to four. *ə 'kwɔ:tə tu fɔ:*

È mezzogiorno/mezzanotte.
It's midday/midnight.

A che ora?
At what time?

1.1 IL TEMPO E LE SUE SUDDIVISIONI

Alle sette e mezza di mattina.
At half past seven in the morning.
Alle nove e un quarto di sera.
At a quarter past nine in the evening.
Dalle nove alle tre. [9.00 - 15.00]
From nine ante meridian (a.m.) to three post meridian (p.m.)

■ QUANDO? GIORNO E DATA

Fino a quando/domani.
Until when/tomorrow.
Che giorno è oggi?
What day is it today?
Oggi è sabato. È il 23 Aprile 2006.
Today it's Saturday.
It's the twenty-third of April two thousand and six.
Ogni martedì.
Every Tuesday.
In che mese?
In which month?
In agosto.
In August.
Per quanto tempo?
For how long?
Con che frequenza?
How often?
Quanto tempo fa?
How long ago?
Cinque giorni fa.
Five days ago.
Fra cinque giorni.
In five days' time.

■ GIORNI DELLA SETTIMANA

lunedì	Monday	*'mʌndei*
martedì	Tuesday	*'tju:zdei*

mercoledì	Wednesday	*'wenzdei*
giovedì	Thursday	*'θɜ:zdei*
venerdì	Friday	*'fraidei*
sabato	Saturday	*'sætədei*
domenica	Sunday	*'sʌndei*

MESI

gennaio	January	*'dʒænjuəri*
febbraio	February	*'februəri*
marzo	March	*'ma:tʃ*
aprile	April	*'eiprəl*
maggio	May	*'mei*
giugno	June	*'dʒu:n*
luglio	July	*dʒulái*
agosto	August	*'ɔ:gəst*
settembre	September	*septémbə*
ottobre	October	*ɒktəúbə*
novembre	November	*nəuvémbə*
dicembre	December	*disémbə*
alta stagione	high season	*hai 'si:zn*
bassa stagione	low season	*ləu si:zn*

LE STAGIONI

inverno	winter	*'wintə*
primavera	spring	*'spriŋ*
estate	summer	*'sʌmə*
autunno	autumn	*'ɔ:təm*

FESTIVITÀ E RICORRENZE

Capodanno	New Year's Day	*nju: 'jiəz dei*
Epifania	Epiphany	*ipífəni*
Carnevale	Carnival	*'ka:nivəl*
Giorno del Ringraziamento	Thanksgiving	*'θænksgiviŋ*
Giovedì grasso	Thursday before Lent	*'θɜ:zdei bifɔ́:'lent*
Martedì grasso	Shrove Tuesday	*'ʃrəuv 'tju:zdei*

1.1 IL TEMPO E LE SUE SUDDIVISIONI

Mercoledì delle ceneri	Ash Wednesday	*'æʃ 'wenzdei*
Domenica delle Palme	Palm Sunday	*'pa:m 'sʌndei*
Settimana Santa	Holy Week	*'həuli 'wi:k*
Giovedì Santo	Maundy Thursday	*'mɔ:ndi 'θɜ:zdei*
Venerdì Santo	Good Friday	*gud 'fraidei*
Sabato Santo	Holy Saturday	*'həuli 'sætədei*
Pasqua	Easter	*'i:stə*
Lunedì dell'Angelo	Easter Monday	*'i:stə 'mʌndei*
Festa del lavoro	Labour Day	*'leibə dei*
Corpus Domini	Corpus Christi	*'kɔ:pəs 'kristi*
Pentecoste	Whit Sunday	*witsʌndei*
Ferragosto	Feast of the Assumption	*'fi:st ɒv ði əsʌ́mpʃən*
Ognissanti	All Saints	*ɔ:l 'seints*
Natale	Christmas	*'krisməs*
Santo Stefano	Boxing Day	*'bɒksiŋdei*
San Silvestro	New Year's Eve	*'nju: jiəz i:v*
festivo	weekend	*'wi:kend*
feriale	weekday	*'wi:kdei*

■ LOCUZIONI E AVVERBI DI TEMPO

adesso/ora	now	*nau*
da poco/molto	recently/long ago	*'ri:səntli/lɒŋ əgə́u*
fra poco	soon	*su:n*
in anticipo/ritardo	early/late	*'ɜ:li/ 'leit*
per poco tempo	for a short time	*fɔ: ə 'ʃɔ:t taim*
presto/tardi	early/late	*'ɜ:li/ leit*
prima/dopo	before/after	*bifɔ́:/ 'a:ftə*
prossimo	next	*nekst*
qualche volta	sometimes	*'sʌmtaimz*
sempre/mai	always/never	*'ɔ:lweiz/ 'nevə*
spesso/subito	often/immediately	*'ɒfn/imí:diətli*
tempo fa	long ago	*lɒŋ əgə́u*

afa	mugginess	*'mʌginəs*
bufera di neve	blizzard	*'blizəd*
caldo/molto c.	warm/hot	*wɔ:m/hɒt*
clima	climate	*'klaimit*
freddo	cold	*kəuld*
ghiaccio	ice	*ais*
grandine	hail	*heil*
nebbia	fog	*fɒg*
neve	snow	*snəu*
nuvoloso	cloudy	*'klaudi*
pioggia	rain	*rein*
secco	dry	*drai*
sereno	clear	*kliə*
sole	sun	*sʌn*
temperatura	temperature	*'tempritʃə*
temporale	storm	*stɔ:m*
umido	humid/damp	*'hju:mid/dæmp*
vento	wind	*wind*

Che tempo fa?
What's the weather like?
Fa bello/brutto.
It's fine/bad.
Fa caldo/freddo.
It's hot/cold.
Tira vento.
It's windy.
Piove.
It's raining.
Nevica.
It's snowing.
C'è nebbia.
There's a mist/fog.
È sereno.
It's clear.

1.2 IL TEMPO METEOROLOGICO

Che tempo farà domani?
What will the weather be like tomorrow?
Quanti gradi ci sono?
What's the temperature?
Ci sono 30° C all'ombra.
It's thirty degrees Celsius in the shade.

1.3 VOCABOLARIO "QUOTIDIANO"

FORMULE COLLOQUIALI E DI CORTESIA

Queste locuzioni, fra le quali quelle consuete di cortesia, integrano le frasi di ogni situazione, così come nel comune conversare. Dovunque è buona norma chiedere e concedere "per piacere" e ringraziare. Non dimenticate che una richiesta, per avere probabilità d'essere esaudita, deve concludersi col classico "please".

Sì.	Yes.	*jes*
No.	No.	*nəu*
Sì, per favore.	Yes, please.	*jes 'pli:z*
No, grazie.	No, thank you.	*nəu 'θænk ju:*
Per favore.	Please.	*'pli:z*
Grazie.	Thank you.	*'θænk ju:*
Prego.	Please/Thank you.	*pli:z/ 'θænk ju:*
Di niente.	Not at all.	*nɒt æt ɔ:l*
Mi scusi.	Excuse me.	*ikskjù:s mi:*
Mi dispiace.	I'm sorry.	*aim sɒri*
Si accomodi.	Take a seat.	*teik ə si:t*
Passi pure.	Come in/Go ahead.	*cʌm in/gəu əhéd*
Permesso? (per entrare)	May I come in?	*mei ai cʌm in*

Permesso! (per passare)	Excuse me!	*ikskjú:s mi:*
Entri.	Come in.	*cʌm in*
Non si preoccupi.	Don't worry.	*dəunt 'wʌri*
Sono italiano/ straniero.	I'm Italian/ I'm a foreigner.	*aim itǽliən/ aim ə 'fɒrənə*
Potrei ... ?	May I ... ?	*mei ai*
Potrebbe ... ?	Could you ... ?	*kud ju:*

DOMANDE RICORRENTI

Che cosa significa?	What does it mean?	*hwɒt dʌz it mi:n*
Che cosa?	What?	*hwɒt*
Che ha detto?	What did you say?	*hwɒt did ju: sei*
Chi è?	Who is it/he/she?	*hu: iz it/hi:/ʃi:*
Chi?	Who?	*hu:*
Come?	Say it again?	*sei it əgén*
Come? (modo)	How?	*hau*
Dove?	Where?	*hweə*
Dov'è?	Where is it/he/she?	*hweə iz it/hi:/ʃi:*
Perché?	Why?	*hwai*
Qual è?	Which one is it/ he/she?	*hwitʃ wan iz it/ hi:/ʃi:*
Quale?	Which?	*hwitʃ*
Quando?	When?	*hwen*
Quanto?	How much?	*hau mʌtʃ*
Quanti?	How many?	*hau 'meni*

SALUTI, AUGURI E CONGRATULAZIONI

Buongiorno.	Hello.	*həlә́u*
Buonasera.	Good afternoon/ good evening.	*gud a:ftənú:n/ gud 'i:vniŋ*
Buona notte.	Goodnight.	*gudnáit*
Arrivederci.	Goodbye.	*'gudbai*

1.3 VOCABOLARIO "QUOTIDIANO"

Ciao.	Bye.	*bai*
Buon viaggio.	Bon voyage/Have a nice trip.	*bɒn 'vwajaʒ/hæv ə 'nais 'trip*
Buona fortuna.	Good luck.	*gud lʌk*
A presto.	See you soon.	*si: ju: su:n*
A più tardi.	See you later.	*si: ju: leitə*
A stasera.	Until this evening.	*ʌntíl θis 'i:vniŋ*
A domani.	Until tomorrow.	*ʌntíl təmɒ́rəu*
Tanti auguri!	Best wishes!	*best wiʃiz*
Complimenti!	Well done/ Congratulations!	*wel dʌn/ kəngrǽtjulaʃəns*
Buon compleanno!	Happy birthday!	*hæpi 'bɜ:θdei*
Buon Natale!	Merry Christmas!	*'meri 'krisməs*
Felice anno nuovo!	Happy New Year!	*'hæpi nju: jiə*
Buona Pasqua!	Happy Easter!	*'hæpi 'i:stə*
Come sta?	How are you?	*hau a: ju:*
Bene, grazie e Lei?	Well thank you, and you?	*wel 'θænk ju: ənd ju:*
Bene.	Well.	*wel*
Abbastanza bene.	Quite well.	*'kwait wel*
Non c'è male.	Not bad.	*nɒt bæd*

■ ESPRESSIONI DI APPROVAZIONE E APPREZZAMENTO ...

Certamente.	Certainly.	*'sɜ:tənli*
Volentieri.	Happily.	*'hæpili*
Bene.	Good.	*gud*
Benissimo.	Very good.	*'veri 'gud*
Ottimo.	Excellent.	*'eksələnt*
Con molto piacere.	With great pleasure.	*wið greit 'pleʒə*
Che bello!	How nice!	*hau nais*
Bravo!	Well done!	*wel dʌn*

VOCABOLARIO "QUOTIDIANO" 1.3

Vero.	Indeed.	*indí:d*
Giusto.	Right.	*rait*
Sono contento.	I'm pleased.	*aim pli:zd*
Sono stato bene.	That was nice.	*ðæt wɒz nais*
Lei ha ragione.	You're right.	*juə 'rait*
Mi piace/ è piaciuto.	I like/ liked it.	*ai laik/ laikt it*

... E DI NEGAZIONE E DISAPPROVAZIONE

Mai.	Never.	*'nevə*
Niente.	Nothing.	*nʌθiŋ*
Male.	Bad.	*bæd*
Orribile.	Terrible.	*'teribəl*
Che brutto!	How awful!	*hau 'ɔ:ful*
Purtroppo.	Unfortunately.	*ʌnfɔ́:tʃnətli*
Non sono d'accordo.	I don't agree.	*ai dəunt əgrí:*
È sbagliato.	You're wrong/ mistaken.	*juə rɒŋ/ mistéikən*
Per niente.	Not at all.	*nɒt æt ɔ:l*
Che peccato!	What a pity!	*hwɒt ə 'piti*
Che sfortuna!	What bad luck!	*hwɒt bæd lʌk*
Lei ha torto.	You're quite wrong.	*juə kwait rɒŋ*
Non mi piace/ è piaciuto.	I don't like/ didn't like it.	*ai dəunt laik/ didnt laik it*
Sono insod-disfatto.	I'm dissatisfied.	*aim disǽtisfaid*
Sono arrabbiato.	I'm cross/angry.	*aim krɒs/ 'æŋgri*

PRONOMI PERSONALI (SOGGETTI E OGGETTI)

io, me	I, me	*ai, mi:*
tu	you	*ju:*
egli, lui	he, him	*hi:, him*
ella, lei	she, her	*ʃi:, hɜ:*
esso, lui	it, him	*it*

1.3 VOCABOLARIO "QUOTIDIANO"

noi	we, us	*wi:, ʌz*
voi	you	*ju:*
essi, loro	they, them	*ðei, ðem*

PRONOMI E AGGETTIVI POSSESSIVI

mio	my, mine	*mai, main*
tuo	your, yours	*jɔ:, jɔ:z*
suo (di lui)	his	*hiz*
suo (di lei)	her, hers	*hɜ:, hɜ:z*
suo (di esso)	its	*its*
nostro	our, ours	*auə, auə:z*
vostro	your, yours	*jɔ:, jɔ:z*
loro	their, theirs	*ðeə, ðeəz*
proprio	own	*əun*

I CENTO SOSTANTIVI INDISPENSABILI

acqua	water	*'wɔ:tə*
affari	business	*'biznis*
amico/a	friend	*frend*
andata e ritorno	return ticket	*ritɜ́:n 'tikit*
appuntamento	appointment	*əpɔ́intmənt*
arrivo	arrival	*əráivəl*
assicurazione	insurance	*'inʃuərəns*
bagaglio	luggage	*'lʌgidʒ*
bambino/a	child	*'tʃaild*
biglietteria	ticket office/ box office	*'tikit 'ɒfis/ 'bɒks 'ɒfis*
biglietto (per viaggio)	ticket	*'tikit*
biglietto (per manifestazione)	ticket/seat	*'tikit/si:t*
cambio	exchange	*ikstʃéindʒ*
cameriere/a	waiter/waitress	*'weitə/weitris*
carta d'imbarco	boarding card	*'bɔ:diŋ 'ka:d*
carta di credito	credit card	*'kredit ka:d'*
carta d'identità	identity card	*aidéntiti 'ka:d*
casa	house/home	*'hauz/həum*
chiave	key	*ki:*
città	city	*'siti*
cognome	surname	*'sɜ:neim*
coincidenza	connection	*kənékʃn*
conferma	confirmation	*kɒnfəméiʃn*
conto	account	*əcáunt*
denaro	money	*'mʌni*
deposito (in denaro)	deposit	*dipɒ́zit*
deposito bagagli	left luggage	*left 'lʌgidʒ*
documento	document/ identity document	*'dɒkjumənt/ aidéntiti 'dɒkjumənt*

1.4 PAROLE UTILI NEL VIAGGIO

dogana	customs	*ˈkʌstəms*
donna	woman	*ˈwumən*
estero	abroad	*əbrɔ́:d*
facchino	porter	*ˈpɔ:tə*
ferie	holiday	*ˈhɒlidei*
figlio/a	son/daughter	*sʌn/ˈdɔ:tə*
fratello	brother	*ˈbrʌðə*
fumatori/ non fumatori	smokers/ non smokers	*ˈsməukəz/ nɒnˈsməukəz*
imbarco	embarkation	*emba:kéiʃn*
indirizzo	address	*ədrés*
italiano	Italian	*itǽliən*
lavoro	work/job	*ˈwɜ:k/ˈdʒɒb*
mancia	tip	*tip*
marito	husband	*ˈhʌzbənd*
moglie	wife	*waif*
nazionalità	nationality	*næʃənǽləti*
nome	name	*ˈneim*
orario	timetable	*ˈtaimteibəl*
paese	country	*ˈkʌntri*
partenza	departure	*dipá:tʃə*
passaporto	passport	*ˈpaspɔ:t*
patente	licence	*ˈlaisəns*
permanenza	stay	*ˈstei*
piazza	piazza/square	*piǽtsə/ˈskweə*
polizia	police	*pəlís*
posto	seat/place	*ˈsi:t/ˈpleis*
prefisso	dialling code	*ˈdaiəliŋˈcəud*
prenotazione	booking	*ˈbukiŋ*
prezzo	price	*ˈprais*
ragazzo/a	boy/girl	*bɔi/gɜ:l*
richiesta	application	*aplikéiʃn*
rimborso	reimbursement	*ri:imbɜ́:smənt*
rinuncia	cancellation	*kansəléiʃn*
risposta	reply	*riplái*

ritardo	delay	*dilèi*
sala d'attesa	waiting room	*'weitiŋ ru:m*
scalo	stopover	*'stɒpəuvə*
sciopero	strike	*straik*
scontrino	receipt	*risí:t*
sedile	seat	*'si:t*
servizio	service	*'sɜ:vis*
soggiorno	stay	*'stei*
soldi	money	*'mʌni*
sorella	sister	*'sistə*
stato	state	*'steit*
stazione	station	*'steiʃn*
degli auto-bus/pullman	bus terminal	*'bʌs 'tɜ:minəl*
dei taxi	taxi rank	*'tæksi 'ræŋk*
della metro-politana	underground station	*'ʌndəgraund 'steiʃn*
straniero	foreigner	*'fɒrənə*
studente	student	*'stjudənt*
supplemento	supplement	*'sʌplimənt*
tariffa	fare	*'feə*
toilette	toilet	*'tɔilit*
turista	tourist	*'tuərist*
ufficio informazioni	information office	*infəméiʃn 'ɒfis*
uomo	man	*'mæn*
uscita	exit	*'eksit*
vacanza	holiday	*'hɒlidei*
valigia	suitcase	*'su:tkeis*
valuta	currency	*'kʌrənsi*
via	street	*'stri:t*
viaggio	journey	*'dʒɜ:ni*
viale	avenue	*'ævənju:*
visto	visa	*'viza*

1.4 PAROLE UTILI NEL VIAGGIO

AGGETTIVI E AVVERBI UTILI E LORO CONTRARI

allegro/triste	happy/sad	*'hæpi/ 'sæd*
aperto/chiuso	open/closed	*'əupən/ 'kləuzd*
alto/basso	high/low	*'hai/ 'ləu*
asciutto/bagnato	dry/wet	*'drai/ 'wet*
bello/brutto	beautiful/ugly	*'bju:təful/ 'ʌgli*
buono/cattivo	good/bad	*'gud/ 'bæd*
caldo/freddo	hot/cold	*'hɒt/ 'kəuld*
caro/economico	expensive/cheap	*ikspénsiv/ 'tʃi:p*
chiaro/scuro	light/dark	*'lait/ 'da:k*
corto/lungo	short/long	*'ʃɔ:t/ 'lɒŋ*
divertente/noioso	amusing/boring	*əmjú:ziŋ/ 'bɔ:riŋ*
dolce/amaro	sweet/bitter	*'swi:t/ 'bitə*
duro/morbido	hard/soft	*'ha:d/ 'sɔ:ft*
facile/difficile	easy/difficult	*'i:zi/ 'difikəlt*
famoso/ sconosciuto	famous/ unknown	*'feiməs/ ʌnnə́un*
forte/debole	strong/weak	*'strɒŋ/ 'wi:k*
gentile/scortese	kind/unkind	*'kaind/ʌnkáind*
giovane/vecchio	young/old	*'jʌŋ/ 'əuld*
giusto/sbagliato	right/wrong	*'rait/ 'rɒŋ*
grande/piccolo	large/small	*'la:dʒ/ 'smɔl*
grasso/magro	fat/thin	*'fæt/ 'θin*
intelligente/ stupido	intelligent/ stupid	*intélidʒənt/ 'stju:pid*
largo/stretto	wide/narrow	*'waid/ 'nærəu*
leggero/pesante	light/heavy	*'lait/ 'hevi*
lento/veloce	slow/fast	*'sləu/ 'fast*
libero/occupato	free/engaged	*'fri:/ingéidʒd*
lontano/vicino	far away/near	*fa: əwéi/ 'niə*
maschile/ femminile	male/ female	*'meil/ 'fimeil*
migliore/peggiore	better/worse	*'betə/ 'wɜ:s*
nuovo/vecchio	new/old	*'nju:/ ə́uld*
ottimo/pessimo	very good/very bad	*veri 'gud/veri 'bæ*

piacevole/ spiacevole	pleasant/ unpleasant	*'pleznt/ ʌnplέznt*
pieno/vuoto	full/empty	*'ful/ 'empti*
poco/pochi	little/few	*'litəl/fju:*
molto/molti	much/many	*mʌtʃ/ 'mæni*
presto/tardi	early/late	*'ɜ:li/ 'leit*
pubblico/privato	public/private	*'pʌblik/ 'praivit*
pulito/sporco	clean/dirty	*'kli:n/ 'dɜ:ti*
ricco/povero	rich/poor	*'ritʃ/ 'puə*
rotto/intero	broken/whole	*'brəukən/ 'həul*
semplice/ complicato	simple/ complicated	*'simpəl/ 'kɒmplikeitid*
simpatico/ antipatico	nice/ unpleasant	*'nais/ ʌnplέznt*
stanco/riposato	tired/rested	*'taiəd/ 'restid*
uguale/diverso	the same/different	*ðe 'seim/ 'difrənt*
utile/inutile	useful/useless	*'ju:sful/ 'ju:slis*
veloce/lento	fast/slow	*'fast/ 'sləu*
vero/falso	true/false	*tru:/ 'fɔ:ls*
abbastanza/ troppo	enough/ too much	*inʌ́f/ tu: mʌtʃ*
basta/ancora	enough/more	*inʌ́f/ 'mɔ:*
certamente/forse	certainly/perhaps	*'sɜ:tnli/pəhǽps*
pro/contro	for/against	*fɔ:/əgέnst*
sufficiente/ insufficiente	sufficient/ insufficient	*səfíʃnt/ insəfíʃnt*
tutti/nessuno	everyone/no-one	*'evriwʌn/ 'nəuwʌn*
tutto/niente	everything/nothing	*'evriθiŋ/ 'nʌθiŋ*

I VERBI PIÙ COMUNI

abitare	to live	*tu liv*
affittare	to rent/to let	*tu rent/tu let*
alzare/si	to get up	*tu get ʌp*
andare	to go	*tu gəu*

1.4 PAROLE UTILI NEL VIAGGIO

arrivare	to arrive	*tu əráiv*
aspettare	to wait	*tu weit*
attraversare	to cross	*tu krɒss*
avere	to have	*tu hæv*
bere	to drink	*tu driŋk*
cambiare	to change	*tu tʃeindʒ*
camminare	to walk	*tu wɔ:k*
capire	to understand	*tu ʌndəstǽnd*
chiamare/si	to call/be called	*tu kɔ:l/bi: kɔ:ld*
comprare	to buy	*tu bai*
conoscere	to know	*tu nəu*
correre	to run	*tu rʌn*
credere	to believe	*tu bilí:v*
dire	to say	*tu sei*
domandare	to ask	*tu æsk*
dormire	to sleep	*tu sli:p*
dovere (fare)	to must	*tu mʌst*
entrare	to enter	*tu entə*
essere	to be	*tu bi:*
fare	to make/do	*tu meik/du:*
finire	to finish	*tu finiʃ*
fissare	to fix	*tu fiks*
giocare	to play	*tu plei*
guidare	to drive/guide	*tu draiv/gaid*
lasciare	to leave	*tu li:v*
lavare	to wash	*tu wɒʃ*
leggere	to read	*tu ri:d*
mangiare	to eat	*tu i:t*
mettere	to put	*tu put*
noleggiare	to hire	*tu 'haiə*
ordinare	to order	*tu 'ɔ:də*
pagare	to pay	*tu pei*
parcheggiare	to park	*tu pa:k*
parlare	to speak	*tu spi:k*
partire	to leave	*tu li:v*

passare	to pass	*tu pa:s*
pensare	to think	*tu θiŋk*
piacere	to please	*tu pli:z*
potere	to be able	*tu bi:'eibəl*
prendere	to take/get/fetch	*tu teik/get/fetʃ*
prenotare	to book	*tu buk*
prestare	to lend	*tu lend*
rendere	to return	*tu ritɜ́:n*
riempire	to fill	*tu fil*
rispondere	to reply	*tu riplái*
salire (scale) **(in auto, in bus)**	to climb/ to get into	*tu klaim/* *tu get intu*
sapere	to know	*tu nəu*
scendere **(dal bus)** **(dall'auto)**	to descend/ to get off/ to get out of	*tu disénd/* *tu get ɒf/* *tu get aut ɒv*
scrivere	to write	*tu rait*
sedersi	to sit	*tu sit*
sostare	to stop	*tu stɒp*
spendere	to spend	*tu spend*
spostarsi	to move	*tu mu:v*
suonare **(uno strumento musicale)**	to ring/ to play	*tu riŋ/* *tu plei*
svegliare/si	to wake up	*tu weik ʌp*
tagliare	to cut	*tu cʌt*
telefonare	to telephone	*tu 'telifəun*
tornare	to return	*tu ritɜ́:n*
uscire	to go out	*tu gəu aut*
vedere	to see	*tu si:*
venire	to come	*tu kʌm*
viaggiare	to travel	*tu 'trævəl*
visitare	to visit	*tu 'vizit*
vivere	to live	*tu liv*
volere	to want	*tu wɒnt*

1.4 PAROLE UTILI NEL VIAGGIO

LOCUZIONI VERBALI

avere bisogno di	to need	*tu ni:d*
avere caldo	to be hot	*tu bi: hɒt*
avere fame	to be hungry	*tu bi: 'hʌŋgri*
avere freddo	to be cold	*tu bi: kəuld*
avere fretta	to be in a hurry	*tu bi: in ə 'hʌri*
avere paura di ...	to be afraid of ...	*tu bi: əfréid ɒv*
avere sete	to be thirsty	*tu bi: 'θɜ:sti*
avere sonno	to be sleepy	*tu bi: 'sli:pi*
avere voglia di ...	to feel like	*tu 'fi:l laik*
essere in ritardo	to be late	*tu bi: leit*
Ho ... anni.	I am	*ai æm*
fare una passeggiata	to take a walk	*tu teik ə wɔ:k*
andare a prendere	to fetch	*tu fetʃ*
andare a trovare	to go and see	*tu gəu ənd si:*
andare a ...	to go to ...	*tu gəu tu*
mi piace/ non mi piace	I like/ don't like	*ai laik/ dəunt laik*

DIREZIONI E POSIZIONI

a destra/ a sinistra	to the right/ to the left	*tu ðə rait/ tu ðə left*
a diritto	straight on	*streit ɒn*
accanto (a)	next to	*nekst*
al centro	into the centre	*intu ðə 'sentə*
all'inizio/ alla fine	at the beginning/ at the end	*æt ðə bigíniŋ æt ði end*
attraverso	across	*əkrɒ́s*
centro/ periferia	centre/ surroundings	*'sentə/ səráundiŋs*
centrale	central	*'sentrəl*
dall'altra parte	on the other side	*ɒn ði 'ʌðə 'said*
davanti/ dietro (a)	in front of/ behind	*in frʌnt ɒv/ biháind*

di fronte (a)	opposite	*'ɒpəzit*
giù/su	down/up	*daun/ʌp*
in alto/ in basso	at the top/ at the bottom	*æt ðə tɒp/ æt ðə 'bɒtəm*
in cima/ in fondo (a)	at the top/ at the end of	*æt ðə tɒp/ æt ði end ɒv*
lì/là	there	*ðeə*
lontano (da)/ vicino (a)	far away from/ near to	*fa: əwèi frɒm/ niə tu*
nelle vicinanze	in the neigh-bourhood (of)	*in ðə 'neibəhud*
nord/sud	north/south	*nɔ:θ/sauθ*
ovest/est	west/east	*west/i:st*
qui/qua	here	*hiə*
settentrionale/ meridionale	northern/ southern	*'nɔ:ðən/ 'sauðən*
sopra/sotto	on top of/under	*ɒn tɒp ɒv/'ʌndə*

1.5 CARTELLI E SEGNALI

attenti al cane	beware of the dog	*biwéə ɒv ðə dɒg*
cassa	cash/desk	*kæʃ/desk*
chiuso	closed	*'kləuzd*
pericolo	danger	*'deindʒə*
non attraversare	do not cross	*du: nɒt 'krɒs*
non disturbare	do not disturb	*du: nɒt distə́:b*
vietato lasciare rifiuti	do not litter	*du: nɒt litə*
non toccare	do not touch	*du: nɒt 'tʌtʃ*
non calpestare le aiuole	don't walk on the flower beds	*dəunt wɔ:k ɒn ðə 'flauəbedz*
entrata	entrance	*'entrəns*
scala mobile	escalator	*eskəléitə*
uscita di emergenza	exit emergency exit	*'eksit* *imə́:dʒənsi 'eksit*
estintore	fire extinguisher	*'faiə ikstíŋgwiʃə*
libero	free	*fri:*
completo	full	*ful*
signori	gentlemen	*'dʒentlmən*
alta tensione	high tension	*hai 'tenʃn*
ospedale	hospital	*'hɒspitəl*
informazioni	information	*infəméiʃn*
signore	ladies	*'leidiz*
ascensore	lift	*lift*
attenti allo scalino	mind the step	*'maind ðə 'step*
vietato l'ingresso	no entry	*nəu 'entri*
vietato fumare	no smoking	*nəu 'sməukiŋ*
occupato	occupied/ engaged	*'ɒkjupaid/ ingéidʒd*
in vendita	on sale	*ɒn 'seil*
aperto	open	*'əupən*

guasto	out of order	*aut ɒv 'ɔ:də*
esaurito	out of stock	*aut ɒv stɒk*
entrata libera	Please come in	*pli:z kʌm in*
proprietà privata	private property	*'praivit 'prɒpəti*
tirare	pull	*pul*
spingere	push	*puʃ*
prenotato	reserved	*risɜ̀:vd*
suonare	ring	*riŋ*
silenzio	silence	*'sailəns*
scale	stairs	*'steəz*
telefono	telephone	*'telifəun*
biglietteria	ticket office/	*'tikit 'ɒfis/*
– (teatro)	box office	*'bɒks 'ɒfis*
toilette	toilets	*'tɔilit*
pittura fresca	wet paint	*wet peint*
lavori in corso	work in progress	*'wɜ:k in 'prəugres*

1.6 NUMERI, PESI E MISURE

NUMERI CARDINALI

zero	nought	*nɔ:t*
1	one	*wan*
2	two	*tu:*
3	three	*θri:*
4	four	*fɔ:*
5	five	*faiv*
6	six	*siks*
7	seven	*sevn*
8	eight	*eit*
9	nine	*nain*
10	ten	*ten*
11	eleven	*ilėvn*
12	twelve	*'twelv*
13	thirteen	*θɜ:tí:n*
14	fourteen	*fɔ:tí:n*
15	fifteen	*fiftí:n*
16	sixteen	*sikstí:n*
17	seventeen	*sevntí:n*
18	eighteen	*eití:n*
19	nineteen	*nainti:n*
20	twenty	*'twenti*
21	twenty-one	*'twentiwan*
22	twenty-two	*'twentitu:*
23	twenty-three	*'twentiθri:*
24	twenty-four	*'twentifɔ:*
25	twenty-five	*'twentifaiv*
30	thirty	*'θɜ:ti*
35	thirty-five	*'θɜ:tifaiv*
40	forty	*'fɔ:ti*
50	fifty	*'fifti*
60	sixty	*'siksti*
70	seventy	*'sevnti*
80	eighty	*'eiti*
90	ninety	*'nainti*

100	a hundred	*ə'hʌndrəd*
101	a hundred and one	*ə'hʌndrəd ənd wan*
102	a hundred and two	*ə'hʌndrəd ənd tu:*
105	a hundred and five	*ə'hʌndrəd ənd faiv*
110	a hundred and ten	*ə'hʌndrəd ənd ten*
120	a hundred and twenty	*ə'hʌndrəd ənd'twenti*
125	a hundred and twenty-five	*ə'hʌndrəd ənd'twentifaiv*
130	a hundred and thirty	*ə'hʌndrəd ənd'θɜ:ti*
150	a hundred and fifty	*ə'hʌndrəd ənd'fifti*
156	a hundred and fifty-six	*ə'hʌndrəd ənd'fiftisiks*
200	two hundred	*tu:'hʌndrəd*
400	four hundred	*fɔ:'hʌndrəd*
500	five hundred	*faiv'hʌndrəd*
600	six hundred	*siks'hʌndrəd*
700	seven hundred	*sevn'hʌndrəd*
900	nine hundred	*nain'hʌndrəd*
1000	a thousand	*ə'θauznd*
1208	a thousand two hundred and eight	*ə'θauznd tu: 'hʌndrəd ənd 'eit*
2000	two thousand	*tu:'θauznd*
5563	five thousand five hundred and sixty-three	*faiv'θauznd faiv 'hʌndrəd ənd 'sikstiθri:*
10.000	ten thousand	*ten'θauznd*
20.000	twenty thousand	*'twentiθauznd*

1.6 NUMERI, PESI E MISURE

35.648	thirty five thousand six hundred and forty-eight	*'θɜ:tifaiv 'θauznd siks 'hʌndrəd ənd 'fɔ:tieit*
100.000	a hundred thousand	*ə 'hʌndrəd 'θauzn*
200.000	two hundred thousand	*tu: 'hʌndrəd 'θauznd*
un milione	one million	*wan 'miljən*
un miliardo	one milliard	*wan 'milja:d*
3,14	three point one four	*θri: pɔint wan fɔ:*
5,6	five point six	*faiv pɔint siks*
7/12mi	seven-twelfths	*sevn 'twelfθs*
12%	twelve per cent	*'twelv pɜ: sent*
metà (di)	half	*ha:f*
un quarto	a quarter	*ə 'kwɔ:tə*
diecina	ten	*ten*
dozzina	a dozen	*ə 'dəuzn*
centinaio	a hundred	*ə 'hʌndrəd*
migliaio	a thousand	*ə 'θauznd*
doppio	double	*'dʌbəl*
una volta	once	*wans*
due volte	twice	*twais*
un paio di ...	a couple of ...	*ə 'kʌpəl ɒv*
3 più 2	three plus two	*θri: plʌs tu:*
8 meno 5	eight minus five	*eit mainəs faiv*
3 moltiplicato 4	three by four	*'θri: bai fɔ:*
6 diviso 2	six divided by two	*siks diváidid bai tu:*

NUMERI ORDINALI

primo, 1°	first	*fɜ:st*
secondo, 2°	second	*'sekənd*
terzo, 3°	third	*θɜ:d*
quarto, 4°	fourth	*fɔ:θ*
quinto, 5°	fifth	*fifθ*
sesto, 6°	sixth	*siksθ*

settimo, 7°	seventh	*sevnθ*
ottavo, 8°	eighth	*eitθ*
nono, 9°	ninth	*nainθ*
decimo, 10°	tenth	*tenθ*
11°	eleventh	*ilèvnθ*
12°	twelfth	*twelfθ*
13°	thirteenth	*θɜ:ti:nθ*
14°	fourteenth	*fɔ:ti:nθ*
15°	fifteenth	*fifti:nθ*
16°	sixteenth	*siksti:nθ*
17°	seventeenth	*sevnti:nθ*
18°	eighteenth	*eiti:nθ*
19°	nineteenth	*nainti:nθ*
20°	twentieth	*'twenti:θ*
21°	twenty-first	*'twentifɜ:st*
22°	twenty-second	*'twentisekənd*
23°	twenty-third	*'twentiθɜ:d*
24°	twenty-fourth	*'twentifɔ:θ*
25°	twenty-fifth	*'twentififθ*
30°	thirtieth	*'θɜ:tiθ*
70°	seventieth	*'sevntiθ*
80°	eightieth	*'eitiθ*
90°	ninetieth	*'naintiθ*
100°	one-hundredth	*wan'hʌndrətθ*
500°	five-hundredth	*faivhʌ́ndrətθ*
1000°	thousandth	*'θauzntθ*
10.000°	ten-thousandth	*ten-'θauzntθ*
milionesimo	millionth	*'miljənθ*

Ecco un paio di esempi di come si usa formulare un prezzo:

Costa venti sterline e cinquanta penny.
It costs twenty pounds fifty.
Costa cento dollari e venticinque cents.
It costs a hundred dollars twenty five.

1.6 NUMERI, PESI E MISURE

PESI E MISURE

peso lordo	gross weight	*'grəus 'weit*
peso netto	net weight	*'net 'weit*
tara	tare	*'teə*
tonnellata	ton	*'tɒn*
quintale	a hundred kilos	*ə 'hʌndrəd 'kiləuz*
chilogrammo	kilogramme	*'kiləugræm*
ettogrammo	a hundred grammes	*ə 'hʌndrəd 'græms*
grammo	gramme	*'græm*
milligrammo	milligramme	*'miligræm*
libbra	pound (lb)	*'paund*
oncia	ounce (oz)	*'auns*
Quanto pesa?	How much does it weigh?	*hau mʌtʃ dʌz it wei*
litro	litre	*'li:tə*
mezzo litro	half a litre	*ha:f ə 'li:tə*
decilitro	one-tenth of a litre	*wan tenθ ɒv ə 'li:tə*
gallone	gallon	*'gælən*
pinta	pint	*'paint*
Quanto contiene?	How much does it contain?	*hau mʌ́tʃ dʌz it kəntéin*
chilometro	kilometre	*kilɒ́mətər*
metro	metre	*'mi:tə*
centimetro	centimetre	*'sentimi:tə*
millimetro	millimetre	*'milimi:tə*
miglio terrestre	mile	*'mail*
miglio marino	nautical mile	*'nɔ:tikəl 'mail*
piede	foot	*fut*
pollice	inch	*intʃ*
nodo	knot	*nɒt*
Quanto è lungo?	How long is it?	*hau lɒŋ iz it*
Quanto dista?	How far is it?	*hau fa: iz it*
acro	acre	*'eikrə*
metro quadrato	square metre	*'skweəmi:tə*

metro cubo	cubic metre	*'kju:bik 'mi:tə*
ettaro	hectare	*'hekteə*

TEMPERATURA

gradi centigradi	degrees centigrade	*digrí:z 'sentigreid*
gradi Fahrenheit	degrees Fahrenheit	*digrí:z 'færənhait*
Quanti gradi sono?	What is the temperature?	*hwɒt iz θə 'temprətʃə*

COLORI E SFUMATURE 1.7

arancio	orange	*'ɒrindʒ*
argento	silver	*'silvə*
azzurro	blue	*'blu:*
beige	beige	*'beiʒ*
bianco	white	*'hwait*
blu	blue	*'blu:*
fosforescente	phosphorescent	*fɒsfərésnt*
giallo	yellow	*'jeləu*
grigio	grey	*'grei*
lilla	lilac	*'lailək*
marrone	brown	*'braun*
metallizzato	metallic	*mitǽlik*
nero	black	*'blæk*
ocra	ochre	*'əukrə*
oro	gold	*'gəuld*
porpora	purple	*'pɜ:pəl*
rosa	pink	*'piŋk*
rosso	red	*'red*
verde	green	*'gri:n*
viola	violet	*'vaiələt*
chiaro/scuro	light/dark	*'lait/ 'da:k*
brillante	brilliant	*'briljənt*
opaco	opaque/dull	*əupéik/ 'dʌl*

1.8 ESIGENZE PARTICOLARI

FUMATORI (E NON FUMATORI)

Posso fumare?
May I smoke?
Dov'è la zona fumatori/non fumatori?
Where is the smoking/non-smoking area?
Vuole una sigaretta?
Would you like a cigarette?
Ha una sigaretta/da accendere?
Do you have a cigarette/light?
Mi disturba il fumo.
The smoke annoys me.
In questa zona è vietato fumare.
You are not allowed to smoke in this area.

FACILITAZIONI PER DISABILI

Ci sono rampe di accesso per disabili?
Are there access ramps for the disabled?
Ci sono bagni per disabili?
Are there toilets for the disabled?
Ci sono ascensori nell'edificio?
Are there lifts in the building?
È possibile introdurre una sedia a rotelle nell'ascensore?
Can a wheelchair be taken into the lift?
Mi può aiutare?
Can you help me please?
Ci sono riduzioni per disabili?
Are there reductions for the disabled?

FACILITAZIONI PER BAMBINI

carrozzina	pram	*'præm*
culla	crib	*'krib*
lettino	cot	*'kɒt*
neonato	newborn infant	*'nju:bɔ:n/ 'infənt*
passeggino	push-chair	*'puʃtʃeə*

Ci sono facilitazioni/riduzioni sotto i 4/12 anni?
Are there discounts/reductions for children under four/twelve?
Dove posso riscaldare il biberon?
Where can I warm the baby's bottle?
Dove posso cambiare il bambino?
Where can I change the baby?
Dove posso sterilizzare ... ?
Where can I sterilize ... ?
Viaggio con un bambino di tre anni.
I am travelling with a baby of three.
Il bambino paga per intero?
Does one pay the full amount for the baby?
Il bambino si siede sulle mie ginocchia.
The baby sits on my lap.
Mi può portare un seggiolone?
Can you please bring me a highchair?
Vorrei una babysitter per oggi/stasera.
I would like a babysitter for today/this evening.
Ci sono aree per l'intrattenimento dei bambini?
Are there play areas for children?
C'è un parco-giochi?
Is there a playground?

IN VIAGGIO CON ANIMALI

È permesso l'ingresso ai cani?
Are dogs allowed in?
Posso tenere un cane nell'appartamento/in camera?
Can I keep a dog in the flat/suite/room?

> **No animals allowed.**
> È vietato l'ingresso agli animali.

Pagano il biglietto anche gli animali?
Does one pay a ticket for animals too?
Dov'è il canile?
Where are the kennels?

1.8 ESIGENZE PARTICOLARI

Il gatto viaggia nella sua gabbia.
The cat travels in its cage.
Posso lasciare il cane libero nel parco?
May I let the dog free in the park?

> **Dogs must be on a lead.**
> Il cane va tenuto al guinzaglio.
> **Dogs must wear muzzles.**
> Il cane deve avere la museruola.

Posso portare il cane sulla spiaggia?
May I take the dog on the beach?
È buono, non morde!
He/she is friendly: he/she won't bite!
Ho il certificato delle vaccinazioni.
I have the vaccination certificate.
Posso lasciare il cane qui per un momento? Torno subito.
May I leave the dog here for a moment? I'll be back immediately.

AREA 2. VIAGGIARE

In quest'Area abbiamo raccolto i termini e le frasi relativi alle varie fasi e situazioni del viaggio, ossia dello spostamento da un luogo all'altro. Naturalmente non sono stati presi in considerazione solo il viaggio di andata all'estero e quello di ritorno, ma anche piccoli e grandi spostamenti effettuati all'estero con questo o quel mezzo di trasporto: perciò sono state affrontate le esigenze di chi deve prenotare un posto, pagare un biglietto, noleggiare un mezzo, chiedere informazioni negli aeroporti e nelle stazioni, sugli orari, sui servizi e sulle sistemazioni a bordo, o reclamare per eventuali disservizi. In quest'Area sono state collocate anche le frasi e le espressioni più ricorrenti in momenti cruciali quali: il *passaggio della dogana* e il controllo dei documenti; le contestazioni di *infrazioni stradali* da parte della polizia; l'eventualità di dover far eseguire *piccole riparazioni o controlli* sui veicoli; la richiesta o la vidimazione di *documenti, visti e permessi* negli uffici pubblici esteri.

2.1 IN AEREO E IN AEROPORTO

IN AEROPORTO - CHECK-IN E IMBARCO

aeroplano	aeroplane/airplane	*'eəplən/ 'airplən*
aeroporto	airport	*'eəpɔ:t*

I CARTELLI RICORRENTI IN AEROPORTO

cancello	gate	*'geit*
check-in	check-in counter	*'tʃek in 'kauntə*
controllo passaporti	passport check point	*'pa:spɔ:t 'tʃek 'pɔint*
dogana	customs	*'kʌstəmz*
porta d'imbarco	boarding gate	*'bɔ:diŋ 'geit*
ritiro bagagli	baggage claim	*'bægidʒ 'kleim*
sala d'attesa	waiting room/lounge	*'weitiŋ 'ru:m/ 'laundʒ*
voli internazionali nazionali	international/ domestic flights	*intənǽʃənəl dəuméstik 'flaits*

Le frasi seguenti possono servire nel caso si debba prendere un aereo all'estero, sia col biglietto già fatto che da fare.

Dove sono i voli internazionali/nazionali?
Can you tell me where the international/domestic flights are?
Dov'è il check-in del volo [compagnia] per ... ?
Can you tell me where the [compagnia] check-in desk is for the flight for ... ?
A che ora parte il prossimo volo per ... ?
What time is the next flight for ... due to leave?
Vorrei prenotare/confermare un/due ... posto/i a nome ... sul volo ... per ... .
I'd like to book/confirm a/two seat/s in the name of ... on flight ... for ... .
Un biglietto di andata e ritorno/con ritorno aperto/di sola andata per ... .
A return/An open return/A one-way single ticket for ... .

Vorrei un posto fumatori/non fumatori/centrale/vicino al finestrino/al corridoio.
I'd like a smoker's/non-smoker's/central/window/aisle seat, please.
Ci sono tariffe speciali/weekend?
Are there any special/weekend rates?
Vorrei anticipare/posticipare la partenza.
I'd like to bring forward/delay my departure.

Your ticket, please.
Il suo biglietto, prego.

C'è un volo in coincidenza per ... ?
Is there a connecting flight for ... ?
Quanto dura il volo?
How long does the flight take?
Viaggio con un bambino di ... anni.
I'm travelling with a ... -year-old child.
Ho bisogno di un menu per diabetici/vegetariani.
I require the diabetic/vegetarian menu.
Vorrei instradare il bagaglio fino a ... .
I'd like to forward my luggage as far as ... .
Posso imbarcare questa borsa/scatola come bagaglio a mano?
May I take this bag/box into the cabin as hand luggage?

Have you got any more luggage?
Ha altro bagaglio?
You will have to pay ... excess weight.
Deve pagare ... di sovrappeso.
Here is your boarding card, Gate ... .
Questa è la sua carta d'imbarco, cancello ... .

■ POSSIBILI ANNUNCI DALL'ALTOPARLANTE

Owing to fog/bad weather/strike action, flight number ... will be delayed ... minutes/hours.
Il volo ... subirà un ritardo di ... minuti/ore causa nebbia/maltempo/sciopero.

Flight number … for … has been cancelled.
Il volo … per … è stato cancellato.
Will passengers holding boarding cards for flight … please proceed to Gate … .
Passeggeri del volo … per … , portarsi al cancello … .

SULL'AEROPLANO

Alcune frasi utili per eventuali esigenze o curiosità durante il volo.

Non riesco ad allacciarmi la cintura di sicurezza.
I can't manage to fasten my safety belt.
A che ora è previsto l'atterraggio?
When are we due to land?
A quale altitudine stiamo volando?
What altitude are we flying at?
Non ho avuto il vassoio del pranzo.
I have not received my lunch tray.
Avete generi duty-free a bordo?
Do you stock duty-free goods on board?
Vorrei qualcosa contro il mal d'aria/la nausea.
I'd like something for air sickness/nausea, please.

■ POSSIBILI AVVISI VERBALI O LUMINOSI SULL'AEREO

We'll be taking off/landing in … minutes.
Il decollo/l'atterraggio è previsto fra … minuti.
Please fasten your seat belts.
Allacciare le cinture di sicurezza.
I'm afraid we have hit some turbulence. We may run into a few air pockets.
Stiamo attraversando un'area di turbolenze. È possibile incontrare vuoti d'aria.
Please remain seated with your seat belts fastened and refrain from smoking.
Si prega di rimanere seduti ai propri posti con le cinture di sicurezza allacciate e di non fumare.

A DESTINAZIONE (NELL'AEROPORTO D'ARRIVO)

Dove arrivano i bagagli del volo ... proveniente da ... ?
Where does the luggage of flight ... from ... come through?
Dove sono i carrelli per i bagagli?
Where are the luggage trolleys, please?
Dov'è il deposito bagagli?
Where is the left-luggage office, please?
Il mio bagaglio non è arrivato: a chi mi debbo rivolgere? Ero sul volo ... da ... .
My luggage has not arrived. Who can I speak to about it? I was on flight ... from ... .
La mia valigia è stata aperta/danneggiata.
My suitcase has been opened/damaged.

> **Please fill in this form.**
> Deve riempire questo modulo.

IN DOGANA

Vengono presi in considerazione sia il controllo dei documenti che dei bagagli. Le norme comunitarie hanno abolito i controlli doganali per i cittadini degli Stati aderenti, ma permane l'obbligo di esibire documenti validi alla frontiera. Nel caso vi rechiate in paesi extracomunitari, è obbligatorio dichiarare alla dogana solamente gli articoli acquistati nel paese di provenienza. Se viaggiate con effetti personali o regali in rispetto alle norme doganali vigenti nel paese di destinazione, non avete «Niente da dichiarare».

> **Your papers, please.**
> I suoi documenti, prego.
> **What is the reason for your journey?**
> Qual è il motivo del suo viaggio?

È un viaggio di lavoro/turismo/studio.
It is a business/pleasure/study trip.

2.1 IN AEREO E IN AEROPORTO

How long are you intending to stay?
Quanto tempo si trattiene nel paese?
Have you anything/nothing to declare?
Ha qualcosa/niente da dichiarare?

Niente da dichiarare.
Nothing to declare.
Ho un ... per uso personale.
I have a ... for my personal use.

Would you open this suitcase/bag/box, please?
Può aprire questa valigia/borsa/scatola?

LASCIARE L'AEROPORTO

Dov'è l'uscita?
Can you tell me where the exit is, please?
Dov'è l'ufficio cambio?
Where is a foreign exchange counter?
Dov'è l'ufficio informazioni turistiche?
Where is the tourist information office?
Dov'è l'autonoleggio?
Can you tell me where I can hire a car?
Qual è il modo più economico per raggiungere il centro?
Which is the cheapest way to get into the centre?
C'è un treno/un autobus/una linea del metrò per la città?
Is there a train/bus/underground line for the city?
Qual è il tragitto del pullman?
Which route does the coach take?
Dov'è la biglietteria?
Can you tell me where the ticket office is, please?
Dov'è la fermata?
Can you tell me where the stop is, please?
Dov'è la stazione dei taxi?
Can you tell me where the taxi rank is, please?

IN AUTOMOBILE (O IN MOTO) 2.2

In questa sezione si trovano il lessico e le frasi utili per viaggiare in automobile, affrontando le normali situazioni (compresa qualche piccola emergenza) che si possono proporre a chi si sposta su 4 ruote (o su 2). Non si considerano quindi i guasti di seria entità e gli incidenti (si veda la situazione 4.1) e i furti (4.2). Per noleggiare un'auto o altro mezzo di trasporto, si veda la situazione 2.7.

DOCUMENTI PERSONALI E DEL VEICOLO

bollo	road licence	*'rəud 'laisəns*
carta verde	green card	*'gri:n 'ka:d*
libretto di circolazione	registration document	*redʒistrèiʃn 'dɒkjumənt*
patente	driving licence	*'draiviŋ 'laisəns*
contrassegno assicurazione	car insurance certificate	*'ka: inʃɔ́:rəns sətífikeit*
targa	registration plate	*redʒistrèiʃn 'pleit*

CARTELLI PRESSO LE BARRIERE E I CASELLI

Confine di Stato	Frontier	*'frʌntiə*
Frontiera a ... km	... km to border	*km tu: 'bɔ:də*
Dogana	Customs	*'kʌstəmz*
Casello	Tollgate	*'təulgeit*
Pedaggio	Toll	*'təul*
Ritirare il biglietto	Take a ticket	*'teik ə 'tikit*

POSSIBILI RICHIESTE ALLA DOGANA

Have you anything to declare?
Ha niente da dichiarare?

Open the boot.
Apra il bagagliaio.

Open that bag/box/suitcase.
Apra quella borsa/scatola/valigia.

May I see your driving licence/registration document?
Mi mostri la patente/il libretto di circolazione.

2.2 IN AUTOMOBILE (O IN MOTO)

Dove posso fare la carta verde?
Where may I get a green card?

■ I VEICOLI

automobile	car	*'ka:*
berlina	saloon car	*səlú:n 'ka:*
coupé	coupé	*'ku:pei*
familiare	family car	*fæmili 'ka:*
fuoristrada	all terrain vehicle	*'o:l teréin 'viəkəl*
spider	roadster	*'rəudstə*
bicicletta	bicycle	*'baisikəl*
ciclomotore	moped	*'məuped*
motocicletta	motor cycle	*'məutəsaikəl*
motorscooter	motor scooter	*'məutəsku:tə*
rimorchio	trailer	*'treilə*
caravan	caravan	*'kærəvæn*

■ LE VARIE CATEGORIE DI STRADE E LA CIRCOLAZIONE

autostrada	motor way	*'məutəwei*
carreggiata	carriageway	*'kæridʒwei*
colonnina di soccorso	emergency box	*imɜ́:dʒənsi 'bɒks*
corsia	lane	*'lein*
di emergenza	escape lane	*iskéip 'lein*
di sorpasso	overtaking lane	*əuvətéikiŋ 'lein*
raccordo	link road	*'liŋk 'rəud*
semaforo	traffic light	*'træfik 'lait*
soccorso stradale	road assistance	*'rəud əsístəns*
spartitraffico	central reservation	*'sentrəl rezəvéiʃn*
stop	stop signal	*'stɒp 'signəl*
strada	road	*'rəud*
nazionale	trunk-road	*'trʌŋkrəud*
provinciale	regional road	*'ri:dʒənəl 'rəud*
vicinale	dirt road	*'dɜ:trəud*

superstrada	dual carriage way	*'dju:əl 'kæridʒwei*
svincolo	junction/crossing	*'dʒʌnkʃn/ 'krɒsiŋ*
uscita	exit	*'eksit*

L'ORIENTAMENTO NEI GRANDI SPOSTAMENTI

Questa fraseologia serve per chiedere informazioni sul tipo di strada che ci si accinge a percorrere in un lungo spostamento. È breve anche in considerazione del fatto che chi viaggia in automobile ha normalmente a disposizione una cartina stradale da cui trarre la maggior parte delle indicazioni. Per l'orientamento e le indicazioni stradali in città e nei centri abitati si veda la situazione 4.3.

Vado bene per l'autostrada?
Excuse me, is the motor way this way?
Qual è la strada per ... ?
Which is the road for ... , please?
È a due/quattro corsie?
Does it have two/four lanes?
È una strada asfaltata?
Is the road asphalted?

SEGNALAZIONI

I segnali stradali si uniformano a una normativa internazionale, quindi non cambiano da paese a paese (specie in Europa), se non marginalmente: e anche in questo caso, essendo fatti per essere capiti 'a vista', è quasi sempre facile comprenderli. Altrimenti, in caso di assoluta indecodificabilità, c'è sempre la possibilità di domandarne il significato. Ai segnali spesso si accompagnano scritte o cartelli, che sussistono anche da soli: ecco gli esempi più ricorrenti.

accendere i fari	switch on head lamps	*'switʃ ɒn 'hedlæmps*
deviazione	detour	*'di:tuə*
divieto di accesso	no entry	*nəu 'entri*

2.2 IN AUTOMOBILE (O IN MOTO)

di circolazione	no thoroughfare	*nəu 'θʌrəfeə*
d'inversione a U	no U turn	*nəu 'ju:tɜ:n*
di sorpasso	no overtaking	*nəu əuvətéikiŋ*
frana	landslide	*'lændslaid*
galleria	tunnel	*'tʌnəl*
lavori in corso	works under way	*'wɜ:ks ʌndə 'wei*
obbligo di catene	use of chains compulsory	*'ju:z ɒv 'tʃeins kəmpʌ́lsəri*
pericolo	danger	*'deindʒə*
polizia stradale	highway patrol	*'haiwei pətrə́ul*
banchi di nebbia	fog banks	*'fɒgbæŋks*
ghiaccio	ice	*'ais*
possibilità di code	possible queue hazard	*'pɒsəbəl 'kwju: 'hæzəd*
rallentare	slow	*'sləu*
segnaletica in rifacimento	signs being repainted	*'sains 'bi:iŋ ripéintid*
serrare a destra	keep to the right	*'ki:p tu: ðə 'rait*
spegnere il motore in sosta	switch off engine when stationary	*'switʃ ɒf 'endʒin hwen 'steiʃnəri*
strada deformata	faulty road surface	*'fɔ:lti 'rəud 'sɜ:fis*
– interrotta	road closed	*'rəud 'kləuzd*
– sdrucciolevole	slippery road	*'slipəri 'rəud*
uscita autocarri	heavy plant crossing	*'heviplænt 'krɒsiŋ*
valanghe	avalanche	*'ævəla:ntʃ*
zona del silenzio	Avoid unnecessary noise (segnale)	*əvɔ́id ʌnnésəsəri 'nɔiz*
zona disco orario	Park and display time (segnale)	*'pa:k ənd displéi 'taim*
zona pedonale	pedestrian precinct	*pədéstriən 'pri:siŋkt*
z. traffico limitato	access restricted	*'ækses ristríktid*

NELL'AREA DI SERVIZIO

RIFORNIMENTO E PICCOLE RIPARAZIONI

batteria	battery	*'bætəri*
bullone	bolt	*'bəult*
cacciavite	screw driver	*'skrju:draivə*
camera d'aria	inner tube	*'inətju:b*
cassetta attrezzi	tool kit	*'tu:lkit*
chiave inglese	spanner	*'spænə*
coupons	coupons	*'ku:pən*
cric	car-jack	*'ka:dʒæk*
dado	nut	*'nʌt*
meccanico	mechanic	*mikǽnik*
pneumatico	tyre	*'taiə*
rifornimento	filling up	*'filiŋ ʌp*
riparazioni	repairs	*ripéəz*

Metta ... litri/il pieno ...
Please put ... litres/gallons of/fill up with ... — *'pli:z put 'li:təz/ 'gælənz ɒv/ 'fil ʌp wið*

... di benzina senza piombo (verde).
... leadless (green) petrol. — *'ledlis/gri:n 'petrəl*

... di gasolio.
... diesel oil/fuel. — *'di:zəl 'ɔil/ 'fjuəl*

... di miscela al ... %.
... % fuel mixture. — *'fjuəl 'mikstʃə*

... di super.
... super/four-star petrol. — *'su:pə/ 'fɔ:-sta: 'petrəl*

Mi controlli ...
Please check ... — *'pli:z 'tʃek*

... l'acqua/il liquido refrigerante.
... the water/cooling liquid. — *ðə 'wɔ:tə/ 'ku:liŋ 'likwid*

... l'olio dei freni.
... the brake fluid. — *ðə 'breik 'flu:id*

... l'olio del motore.
... the engine oil. — *ðə 'endʒin 'ɔil*
... la batteria.
... the battery. — *ðə 'bætəri*
... la pressione dei pneumatici.
... the tyre pressure. — *ðə 'taiə 'preʃə*
... la pressione della ruota di scorta.
... the pressure in the spare wheel. — *ðə 'preʃə in ðə 'speə 'wi:l*
... le pasticche dei freni.
... the brake discs. — *ðə 'breik 'disks*

IL BENZINAIO (O IL MECCANICO) POTREBBE DIRVI

The oil's rather low. Shall I top it up?
Manca olio. Debbo aggiungerlo?
The oil needs changing.
Bisogna cambiare l'olio.
The air/oil filter needs replacing.
Bisogna sostituire il filtro dell'aria/dell'olio.
Shall I add water or liquid?
Aggiungo acqua o liquido?
The spark plugs need changing.
Bisogna cambiare le candele.

C'è un'autofficina/un autolavaggio/un gommaio?
Can you tell me if there is a repair garage/car wash/tyre repairer near here?
Ho una gomma a terra.
I have a flat tyre.

The inner tube will have to be changed.
Bisogna cambiare la camera d'aria.
A new tyre is needed.
Ci vuole un pneumatico nuovo.

Debbo sostituire un fusibile/una lampadina.
I need to change a fuse/a bulb.

PARCHEGGIO, DIVIETO DI SOSTA E RIMOZIONE

carro-attrezzi	break-down lorry	*'breikdaun 'lɒri*
divieto		
di fermata	no stopping	*nəu 'stɒpiŋ*
di sosta	no waiting	*nəu 'weitiŋ*
di sosta permanente	no waiting at any time	*nəu 'weitiŋ æt 'eni 'taim*
ganasce	clamps	*'klæmps*
marciapiede	pavement	*'peivmənt*
contravvenzione	traffic offence	*'træfik əféns*
multa	fine	*'fain*
parcheggio	parking	*'pa:kiŋ*
a pagamento	pay parking	*'pei 'pa:kiŋ*
a tempo	limited parking	*'limitid 'pa:kiŋ*
parchimetro	parking meter	*'pa:kiŋ 'mi:tə*
passo carrabile	vehicle passage-way	*'viəkəl 'pæsidʒwei*
rimozione forzata	tow away zone	*'təu əwei zəun*

Si può parcheggiare qui?
Is parking allowed here?
Quanto tempo posso parcheggiare qui?
How long can I park here?
Dov'è un parcheggio custodito?
Where is a tended car park, please?
Quanto costa all'ora?
What is the hourly charge?
Quanto costa al giorno?
What is the daily charge?
Chi può aprire le ganasce?
Who is authorized to remove the clamps?

You will have to call a policeman.
Deve chiamare un vigile.

Dov'è un vigile?
Where can I find a policeman?

You will have to pay a fine of ... . Are you going to pay now?
Deve pagare una multa di ... . Paga subito?

La mia auto è stata rimossa. Come posso recuperarla?
My car has been towed away. How do I get it back?

Your car is ... .
La sua auto si trova ...

Perché mi avete fatto la multa?
Why have I been fined?

Your car is in a no parking area.
La sua macchina è in sosta vietata.
This car park is reserved.
Questo parcheggio è riservato.
The parking meter has expired.
Il parchimetro è scaduto.
It is obstructing the traffic.
Ostruisce il passaggio.

INFRAZIONI E CONTRAVVENZIONI

Elenchiamo di seguito – con l'augurio che non servano – alcune richieste e contestazioni che potrebbero esservi rivolte dalla polizia stradale in caso di infrazioni o semplici controlli.

You are infringing traffic regulations.
Lei è in contravvenzione.
May I see ...
Posso vedere ...

... your (international) driving licence?
... la sua patente/patente internazionale?
... your registration book?
... il libretto di circolazione?
... your road licence and car insurance?
... il bollo e l'assicurazione dell'auto?
... your green card?
... la carta verde?
This licence/document is not valid.
Questa/o patente/documento non è valida/o.
Seat belts are compulsory.
Le cinture di sicurezza sono obbligatorie.
You crossed on a red light.
Lei è passato con il semaforo rosso.
You were exceeding the speed limit.
Lei ha superato il limite di velocità.
You failed to stop at the sign/give way.
Lei non ha rispettato lo stop/la precedenza.
You went over the continuous line.
Lei ha superato la linea continua.
You were travelling on the wrong side of the road.
Lei viaggiava contromano.
This is a pedestrian precinct.
Questa è una zona pedonale.
This is a one-way street.
Questa strada è a senso unico.
Traffic is limited in this street.
Questa strada è a traffico limitato.

2.3 IN TRAGHETTO, NAVE, ALISCAFO

NEL PORTO E A BORDO

Aliscafo	Hydroplane	*'haidroplein*
Nave	Ship	*'ʃip*
Porto	Harbour	*'ha:bə*
Traghetto	Ferry boat	*'feribəut*

■ NEL PORTO

Da dove partono i traghetti/gli aliscafi per ... ?
Excuse me, where do the ferries/hydroplanes for ... leave from?

From quay/pier ... .
Dalla banchina/dal molo ... .

Dove attracca il traghetto/aliscafo da ... ?
Can you tell me where the ferry/hydroplane from ... docks?
Dov'è l'ufficio informazioni/biglietteria della compagnia?
Where is (the company's) information office/ticket office?
Vorrei l'orario e le tariffe dei traghetti per ... .
I'd like the ferry time-table and tariffs for ... , please.
Quanto dura la traversata?
How long does the crossing take?

■ IN BIGLIETTERIA

Quanto costa il biglietto ...
How much does the ticket cost ...
... per adulti/bambini?
... for an adult/a child?
... in cabina singola/doppia/tripla?
... for a single/double/triple cabin?
... in passaggio ponte?
... for a seat on deck?
... in poltrona reclinabile?
... for a seat in a reclining armchair?
... per le auto?
... for a car?

... per le biciclette?
... for a bicycle?
... per le moto?
... for a motor-cycle?
... per le roulotte?
... for a caravan?
... i camper?
... for a camper?
... il carrello rimorchio?
... for a trailer?

Quanto costa l'andata e ritorno?
How much is a return ticket?

Posso avere il ritorno con data aperta?
May I have the return date left open?

Vorrei prenotare sul traghetto/sull'aliscafo delle ... per ...
I'd like to book ... on the ... (ora) ferry for ... (luogo)
... il passaggio ponte/la poltrona/la cabina per ...
... deck seats/armchairs/a cabin for ...
... un/due/tre adulto/i più ...
... one/two/three adults plus ...
... un/due/tre bambino/i più ...
... one child/two/three children plus ...
... un'auto/una moto/un camper.
... a car/a motorcycle/a camper ...

A che ora inizia l'imbarco?
What time can passengers start boarding?

C'è il bar/ristorante a bordo?
Is there a bar/restaurant on board?

The reservation of a cabin or reclining armchair is compulsory on the night crossing.
Per la corsa notturna è obbligatorio prenotare la cabina o la poltrona reclinabile.

2.3 IN TRAGHETTO, NAVE, ALISCAFO

When travelling by car, the return journey must be reserved as well.
Se viaggia con l'auto deve prenotare anche il ritorno.

■ A BORDO

Le seguenti frasi corrispondono a possibili comunicazioni del personale o (più di frequente) a cartelli o avvisi tramite altoparlante nel garage del traghetto. Trattandosi di norme di sicurezza, è bene farvi molta attenzione.

Gas cylinders in campers must be kept closed.
Chiudere le bombole del gas sui camper.
Leave vehicle in gear with the hand brake engaged.
Lasciare la marcia inserita e il freno a mano tirato.
Switch off the engine and remove the keys.
Spegnere il motore e togliere le chiavi.
Do not lock your vehicle doors.
Non chiudere gli sportelli a chiave.
Access to the garage is not permitted during the crossing.
Vietato sostare nel garage durante la traversata.

Dov'è/sono ...
Please can you tell me where ... is/are?
... la cabina/poltrona numero ... ?
... cabin/seat number ...
... l'ufficio del commissario di bordo?
... the purser's office ...
... le chiavi delle cabine?
... the cabin keys ...
... la toilette?
... the toilets ...
... il bar/ristorante/self-service?
... the bar/restaurant/self-service restaurant ...
... l'infermeria?
... the sick-bay ...

Come si raggiunge il ponte superiore/inferiore?
How do I get to the upper/lower deck?
Ho mal di mare.
I feel sea-sick.
La mia cabina ...
My cabin ...
... è già occupata.
... has already been taken.
... è rumorosa, vorrei cambiarla.
... is noisy. I'd like to change it.
La mia cabina non si apre.
My cabin door will not open.
Nella mia cabina non si apre l'oblò.
The porthole in my cabin will not open.

Di solito su tutte le imbarcazioni che svolgono servizio di traghetto sono esposte con evidenza su appositi cartelli, in più lingue e con l'ausilio di segnalazioni grafiche, le indicazioni su come comportarsi in caso di emergenza. In ogni caso segnaliamo anche le espressioni ricorrenti su quei cartelli.

abbandonare	abandon	*əbǽndən*
la nave	ship	*'ʃip*
incendio a bordo	fire on board	*'faiə ɒn'bɔːd*
punto di raccolta	meeting point	*mitiŋ pɔ́int*
salvagente	lifevest	*'laifwəst*
scialuppa	lifeboat	*'laifbəut*
sirena	siren/whistle	*'sairən/'hwisəl*
uomo in mare	man overboard	*'mæn'əuvəbɔːd*

2.4 IN TRENO

IN STAZIONE

INFORMAZIONI, BIGLIETTI, PRENOTAZIONI

diretto	through train	*'θru: 'trein*
espresso	express train	*iksprės 'trein*
locale	stopping train	*'stɒpiŋ 'trein*
rapido	non-stop/ extra fare train	*nɒnstɒ́p/ 'ekstrə 'feə 'trein*
regionale	regional train	*'ri:dʒənəl 'trein*
treno	train	*'trein*
vagone	carriage	*'kæridʒ*

Dov'è ...
Could you tell me where ...
... l'ufficio informazioni?
... the information bureau is?
... la biglietteria?
... the ticket office is?
... il binario numero ... ?
... platform number ... is?
... il bar/ristoro?
... the bar/refreshment kiosk is?
... la sala d'attesa?
... the waiting room is?
... il deposito bagagli?
... the left luggage office is?
... un carrello portabagagli?/un facchino?
... I can find a luggage trolley?/I can find a porter?
Qual è la tariffa per collo?
What is the charge per piece?
Porti il bagaglio ...
Please take this luggage ...
... al marciapiede/binario ... .
... to platform ... .

... alla carrozza ... .
... to coach ... .
... al deposito bagagli.
... to the left luggage office.
... al taxi.
... to the taxi rank.

A che ora parte il prossimo treno per ... ?
What time is the next train for ... due to leave?
Vorrei sapere ...
I'd like information about ...
... le partenze/gli arrivi ...
... (2)departures/arrivals ...
... la mattina/il pomeriggio/la sera/la notte.
... (1)morning/afternoon/evening/overnight ...
... per/da ... .
... (3)for/from ... .

Da che binario parte il treno ... delle ore ... per ... ?
What platform does the ... (ore) train for ... (luogo) leave from?
A che ora arriva a ... ?
What time does it arrive at ... ?
Ferma a ... ?
Does it stop at ... ?
È necessario cambiare?
Do I need to change?
Dopo quanto c'è la coincidenza?
How long do I have to wait for a connection?
C'è supplemento rapido/prenotazione obbligatoria?
Is there a supplementary charge?/Is reservation compulsory?
Ci sono limitazioni?
Are there any restrictions?
Quanto costa ...
How much is ...
... un biglietto di prima/seconda classe per ... ?
... a first/second class ticket for ... ?

... un biglietto di andata e ritorno per ... ?
... a return ticket for ... ?
... la prenotazione?
... the reservation fee?
... il supplemento?
... the supplementary charge?
... la cuccetta/il vagone letto?
... a couchette/a sleeping-car?

Per quanti giorni è valido il biglietto?
How many days is the ticket valid for?
Ci sono tariffe ridotte per ...
Are there any reduced fares for ...

... giovani/studenti?
... schoolchildren/students?
... pensionati?
... senior citizens?
... bambini sotto i ... anni?
... children under ... years?
... disabili/gruppi?
... disabled persons/parties?

Ci sono biglietti chilometrici?
Do you offer circular tour tickets?
Ci sono abbonamenti settimanali/mensili?
Are there any weekly/monthly season tickets?
Un biglietto di andata/andata e ritorno per ... .
A single/return ticket for ... .
Un biglietto per ... in data ... .
A ticket for ... on ... .
Vorrei prenotare ...
I'd like to reserve ...

... un posto (non) fumatori sul treno ... del giorno ... .
... a (non) smoker's seat on the ... train on ... (data).
... una cuccetta sul treno ... del giorno ... .
... a couchette on the ... train on ... (data).

... un posto in vagone-letto.
... a berth in a sleeping car.
... una cabina singola.
... a single compartment.
... una cabina due/tre letti.
... a double/triple compartment.

POSSIBILI ANNUNCI DALL'ALTOPARLANTE

... train number ... due at ... from ... is arriving at platform ... .
Il treno ... numero ... delle ... proveniente da ... è in arrivo al binario ... .
... train number ... scheduled to leave at ... for ... is about to depart from platform ... ; stopping at ... .
Il treno ... numero ... delle ... per ... è in partenza dal binario ... . Ferma a ... .
... train number ... , scheduled to arrive at ... , will be delayed ... minutes.
Il treno ... numero ... delle ... viaggia con un ritardo di ... minuti.
... train number ... scheduled to leave at ... will leave from platform ... instead of platform ... .
Il treno ... numero ... delle ... partirà dal binario ... anziché dal binario ... .
Owing to strike action/technical reasons, ... train number ... has been cancelled.
Il treno ... numero ... è stato soppresso causa sciopero/per motivi tecnici.

SUL TRENO

bagagliaio	luggage compartment	*ˈlʌgidʒ kəmpáːtmənt*
capotreno	guard	*ˈgaːd*
controllore	conductor	*kəndʌktə*
scompartimento	compartment	*kəmpáːtmənt*

2.4 IN TRENO

È questo il treno delle ... per ... ?
Is this the ... o'clock train for ... ?
Scusi, è libero questo posto?
Excuse me, is this seat free?

No, I'm afraid it's occupied.
No, è occupato.

Dov'è il posto ... della carrozza ... ?
Where is seat ... in coach ... ?
Questo è il mio posto. Ho la prenotazione.
I believe this is my seat. I have the reservation.

Tickets, please.
Biglietti, signori!

C'è una cuccetta/un posto nel vagone-letto?
Is there a couchette/a berth in the sleeping car?
Posso aprire/chiudere il finestrino?
May I open/close the window?
Dov'è la carrozza ristorante?
Can you tell me where the dining car is, please?
Permesso, vorrei passare.
Excuse me, may I pass, please?
A che stazione siamo?
At which station are we?
Può avvisarmi quando arriviamo a ... ?
Could you tell me, please, when we arrive at ... ?
Può svegliarmi alle ... ?
Could you wake me at ... , please?
A che binario si trova la coincidenza per ... ?
At which platform is the connection for ...?
È questa la stazione di ... ?
Is this the station of ... ?

TAXI

Dove posso trovare un taxi?
Can you tell me where I can find a taxi, please?
Qual è il numero telefonico del radio-taxi?
What is the radio-taxi telephone number?
Mi può chiamare un taxi?
Could you call me a taxi, please?
Vorrei prenotare un taxi per oggi/domani alle ore … .
I'd like to book a taxi for today/tomorrow at … .
È libero?
Are you free?

> **No, I'm afraid, I'm off duty.**
> No, sono fuori servizio.

Quanto costa la corsa fino a … ?
How much is the fare to … ?
È in vigore la tariffa extraurbana/festiva/notturna?
Are you going to charge me the long-distance/holiday/night-time rate?
Mi porti …
Please take me …

> **… a questo indirizzo/all'hotel … .**
> … to this address/to Hotel … .
> **… all'aeroporto/alla stazione.**
> … to the airport/to the station.
> **… all'ospedale.**
> … to the hospital.
> **… in centro.**
> … into the centre.
> **… in via/piazza … .**
> … to … Street/Square.

All'angolo giri a destra/sinistra.
At the corner, turn right/left.

2.5 USARE I MEZZI PUBBLICI

Continui diritto.
Keep straight on.
Ho molta fretta!
I'm in a great hurry!
Posso aprire il finestrino?
May I open the window?
Potrebbe andare più piano?
Could you go more slowly, please?
Si fermi qui.
Would you stop here, please.
Mi può aspettare qui? Torno fra … minuti.
Can you wait for me here? I'll be back in … minutes.
Quanto spendo?
How much will that be?

PRENDERE L'AUTOBUS, IL FILOBUS O IL TRAMWAY

capolinea	terminus	*'tɜ:minəs*
circolare	circle line	*'sɜ:kəl 'lain*
controllore	conductor	*kəndʌktə*
deposito	deposit	*dipɒsit*
fermata	bus stop	*'bʌsstɒp*
a richiesta	request bus stop	*rikwést 'bʌsstɒp*
obbligatoria	compulsory bus stop	*kəmpʌlsəri 'bʌsstɒp*
linea	line	*'lain*

Se prevedete di utilizzare i trasporti pubblici vi consigliamo di informarv sul loro uso, tariffe e orari presso la reception dell'albergo, i tourist info e gli uffici della compagnia di trasporto.

Ha una cartina della rete dei trasporti?
Have you got a guide to public transport, please?
Quale autobus mi porta a … ?
Which bus will take me to … ?

Con che frequenza passa il ... ?
How often does the ... bus run?
A che ora passa il primo/l'ultimo autobus?
When do buses start/stop running?
Ci sono autobus notturni?
Do buses run at night?
Dove si compra il biglietto dell'autobus?
Where can I buy a bus ticket?

On board the bus.
Direttamente sull'autobus.
Where there is a sign saying ... .
Dove vede la scritta ... .
From automatic vendors at bus stops.
Ai distributori automatici presso le fermate.

Quanto costa il biglietto ...
How much is ...
... per una corsa singola?
... a single one-way ticket?
... multiplo/da dieci corse?
... a multiple/10 trip ticket?
... da 60/90/120 minuti?
... an hourly/a 90 minute/a two-hour ticket?
... giornaliero turistico?
... a daily tourist ticket?
... settimanale/mensile?
... a weekly/monthly ticket?
Ci sono biglietti ridotti/abbonamenti ...
Are any reduced/season tickets available ...
... per giovani/studenti/disabili/gruppi?
... for children/students/disabled persons/groups?
Vorrei un biglietto da ... corse/minuti.
I'd like a multiple/hourly ticket.
Dov'è la fermata del numero ... in direzione ... ?
Where is the stop for number ... in the direction of ... ?

2.5 USARE I MEZZI PUBBLICI

Quest'autobus passa da via. ... ?
Does this bus go to ... Street?

> **No, you need number ... .**
> No, deve prendere il ... .

Quante fermate ci sono da qui a via ... ?
How many stops are there before ... Street?

■ SULL'AUTOBUS

È questa via ... ?
Is this ... Street?
Devo andare in via ... , quando devo scendere?
Can you tell me when to get off for ... , please?
Permesso, devo scendere!
Excuse me, I need to get off here.

METROPOLITANA

Abbiamo immaginato una rete metropolitana complessa, con molte stazioni e coincidenze. Controllate sempre la direzione del treno e seguite la segnaletica, solitamente molto circostanziata.

Dov'è una stazione della metropolitana?
Can you tell me where there is an underground station, please?
Ha una cartina della rete della metropolitana?
Have you got a map of the underground, please?
Che linea si prende per andare a ... ?
What line do I take for ... ?

> **You must take the ... line in the direction of ... as far as ... and then get the ... line going (to) ... .**
> Deve prendere la linea ... in direzione ... fino a ... e lì prendere la linea ... in direzione ... .

A che ora passa il primo/l'ultimo treno?
What time is the first/last train?

Ci sono abbonamenti speciali turistici?
Are there any special season tickets for tourists?
Vorrei un biglietto giornaliero/settimanale/mensile.
I'd like a daily/weekly/monthly ticket.
Da quale marciapiede/livello parte la linea … in direzione … ?
What platform/level does line … in the direction of … leave from?
Questo treno va a … ?
Excuse me, does this train go to … ?

You have to take the train going the other way.
Deve prendere il treno nella direzione opposta.
This train does not stop at … .
Questo treno non ferma a … .

La prossima stazione è … ?
Is the next station … ?
Quante fermate mancano a … ?
How many stops are there before … ?

■ **POSSIBILI CARTELLI E AVVISI NELLE STAZIONI DELLA METROPOLITANA**

… station is closed for works.
La stazione di … è chiusa per lavori.
Do not cross over the … line if a train is approaching.
All'arrivo del treno non oltrepassare la linea … .
It is strictly forbidden to cross the track.
Vietato attraversare i binari.
Retain/Keep your ticket until the exit.
Conservare il biglietto fino all'uscita.

IN VIAGGIO SU AUTOBUS E PULLMAN EXTRAURBANI

In questo caso si prendono in considerazione le esigenze di coloro che ricorrono ai pullman per spostamenti oppure per il sightseeing. Per quanto riguarda la fraseologia relativa alle vere e proprie escursioni in pullman, si veda la situazione 5.2.

2.5 USARE I MEZZI PUBBLICI

Dov'è ...
Can you tell me where ...

... la stazione degli autobus?
... the bus station is, please?
... l'ufficio informazioni/la biglietteria?
... the information/ticket office is, please?

Mi può dare gli orari dei pullman per ... ?
Can you give me the times of coaches for ... , please?
Ci sono corse nei giorni festivi?
Do coaches run at weekends and on public holidays?
C'è un pullman per ... ?
Is there a coach for ... ?
Ci sono pullman che fanno la visita guidata della città?
Are there guided sightseeing tours of the city by coach?
Quanto impiega il pullman ad arrivare a ... ?
How long does the coach take to get to ... ?
Quanto costa un biglietto ...
How much does a ... (1) ticket ... cost?

... andata e ritorno ...
... (1) single/return ...
... per adulti/per bambini ...
... for an adult/a child ...
... con/senza bagaglio per ... ?
... with/without luggage ...

Ci sono sconti per giovani/studenti/gruppi/turisti?
Is there a reduction for children/students/groups/tourists?
Quanto costa l'abbonamento settimanale/mensile?
How much does a weekly/monthly ticket cost?
Vorrei prenotare ... posti sull'autobus delle ... per ... .
I'd like to book ... seats on the ... bus for ... .
Vorrei un posto davanti/al finestrino/(non) fumatori.
I'd like a front/window/(non)smoker's seat.
Ci saranno soste durante il tragitto?
Will there be any stops on the journey?

USARE I MEZZI PUBBLICI 2.5

■ A BORDO DEL PULLMAN

È libero questo posto?
Is this seat free?
Mi scusi, mi fa passare?
Excuse me, will you let me through, please?
Può fermare un attimo? Mi sento male.
Can you stop a moment, please. I feel sick.
A che ora arriveremo a ... ?
What time do we get to ... ?

DOCUMENTI E UFFICI PUBBLICI 2.6

Per comodità, si raggruppa qui il lessico relativo agli uffici pubblici coi quali è possibile entrare in contatto nel corso di un normale viaggio ed ai relativi servizi, documenti e funzioni. Per quanto riguarda il furto di documenti e altri tipi di inconvenienti, si veda Furti e scippi, Area 4.2.

ambasciata	embassy	*'embəsi*
ambasciatore	ambassador	*æmbǽsədə*
certificato	certificate	*sətífikət*
consolato	consulate	*'kɒnsjulət*
console	consul	*'kɒnsjul*
documento	document	*'dɔkjumənt*
nazionalità	nationality	*næʃənǽliti*

Dov'è ...
Can you tell me where ...
... l'ambasciata italiana?
... the Italian embassy is, please?
... il consolato italiano?
... the Italian consulate is, please?

2.6 DOCUMENTI E UFFICI PUBBLICI

... l'ufficio immigrazione?
... the immigration office is, please?
... la capitaneria di porto?
... the harbour master office is, please?
... l'ufficio che rilascia licenze di caccia/di pesca?
... the office issuing shooting/fishing licences is, please?

Devo vidimare il passaporto.
My passport needs stamping.
Devo rinnovare il permesso di soggiorno.
My temporary residence permit needs renewing.
Devo fare la licenza di caccia/di pesca.
I need a shooting/fishing licence.

Your gun licence and gun registration number, please.
Prego, porto d'armi e matricola del fucile.

Di quali documenti ho bisogno?
What documents do I need?

No formality is required.
Non è necessaria alcuna formalità.
A few particulars are lacking from your papers.
La documentazione è incompleta.
Please show me ... .
Prego, mi mostri ... .

NOLEGGIARE UN'AUTO

Per indicare, se necessario, parti del veicolo o della meccanica al momento del noleggio, fare riferimento alla voce Guasti, 4.1.

Dov'è un'agenzia di autonoleggio?
Can you tell me where there is a car-hire firm, please?
Vorrei noleggiare ...
I'd like to hire ...
... un'auto piccola/media/grande.
... a small/medium-sized/big car.
... un'auto a due/quattro/cinque posti ...
... a two/four/five-seater car ...
... con il cambio automatico/manuale.
... with automatic/manual gears.
... con aria condizionata.
... with air conditioning.
... con bagagliaio/portapacchi.
... with a boot/luggage rack.
... un'auto diesel.
... a diesel-run vehicle.
... una station wagon.
... a station wagon.
... un pulmino/camper per ... persone..
... a minibus/camper for ... persons.
... un'auto con autista.
... a chauffeur-driven car.

I'm afraid all the cars are taken.
Non ci sono vetture libere.

Qual è la tariffa ...
What are the ... (1) rates ... (2)
... al giorno?
... (1) daily ...
... per un fine settimana?
... (1) weekend ...

... per un mese/per una settimana?
... (1) monthly/weekly ...
... chilometrica/a miglio?
... (2) per kilometre/mile?
Esistono tariffe/offerte speciali?
Are there any special rates/offers?

Daily rates with unlimited mileage.
Tariffa giornaliera a chilometraggio illimitato.

È compresa l'assicurazione?
Is insurance included?

No, insurance is separate.
No, l'assicurazione è a parte.

L'assicurazione è integrale?
Does the insurance cover all risks?
L'assicurazione copre ...
Does the insurance cover ...
... il guidatore?
... the driver?
... i danni al veicolo/il furto?
... damage to the vehicle/theft?
Quali sono i massimali?
What is the maximum sum insurable?
Guiderà anche ... (questa persona).
This person ... will also be driving.
Qual è il limite d'età per guidarla?
What is the age-limit for driving it?
È possibile ...
Would it be possible ...
... recarsi all'estero?
... to take it abroad?
... riconsegnare l'auto ...
... to return the car ...

... di giorno festivo/di notte/in un'altra città?
... on a Sunday(holiday)/at night/to another town?

I'd like to see the driving licences of all the people who will be driving the car.
Vorrei vedere la patente di tutte le persone che guideranno l'auto.
An international licence is needed.
È necessaria la patente internazionale.
A credit card is needed to hire a car.
Per il noleggio è necessaria una carta di credito.
A full tank is included in the rates. Failure to return the car on a full tank will entail payment of the difference.
Nel prezzo è compreso il pieno: se non restituisce l'auto con il pieno dovrà pagare la differenza.

Devo usare benzina super/senza piombo/gasolio?
Am I to use super petrol/leadless petrol/diesel fuel?
Dove sono i documenti dell'auto?
Where are the car papers?
Mi può spiegare come funziona ... ?
Can you please explain how ... functions?
Dov'è la cassetta degli attrezzi/del pronto soccorso?
Where is the tool/first aid kit?
Scusi ...
Excuse me,
... la carrozzeria è deformata.
... the body work is dented.
... il motore non si avvia.
... the engine won't start.
... l'auto non frena.
... the brakes don't work.
... la frizione/l'acceleratore non funziona bene.
... the clutch/accelerator doesn't work properly.
... non si accendono i fari.
... the head lamps don't light up.

... non funzionano le frecce/i tergicristalli.
... the indicators/windscreen wipers don't work.
... lo sportello/il finestrino/il cofano/il bagagliaio non chiude.
... the door/the window/the bonnet/the boot doesn't close.
... mancano i documenti.
... the papers are missing.

■ IL NOLEGGIO DI ALTRI MEZZI DI TRASPORTO

Dove posso noleggiare ...
Where can I hire ...
... una bicicletta?
... a bicycle?
... un motorino?
... a moped?
... una moto?
... a motor-cycle?
... una barca?
... a boat?
Qual è la tariffa giornaliera?
What are the daily rates?
Vorrei noleggiare ... per ... giorni.
I'd like to hire ... for ... days.

Please leave me a document on deposit.
Mi lasci un documento come deposito.

C'è un'agenzia di autostop?
Is there a hitch-hiking agency anywhere?

AREA 3. VIVERE

In quest'Area sono contemplate le situazioni in cui si soddisfano le normali esigenze quotidiane: dormire e riposare, mangiare e bere, cambiare la valuta, spedire posta, telefonare, lavarsi, avere cura della propria persona e, se del caso, del proprio spirito.

Va sottolineato che la Situazione 3.2 (Alimentazione) è stata compilata in maniera assai dettagliata, tanto da poter servire egregiamente come repertorio lessicale anche per chi preferisca acquistare le vivande e cucinarsele per proprio conto, invece di mangiare al ristorante (per le frasi relative all'acquisto, si veda la successiva Situazione 5.4). Inoltre si è dato deliberatamente rilievo alla differenza fra le esigenze di chi consuma veri e propri pasti e quelle di chi si limita a veloci spuntini, dedicando una voce specifica, per funzionalità di consultazione, alla seconda ipotesi.

3.1 SOGGIORNO E PERNOTTAMENTO

SCEGLIERE E PRENOTARE UN ALBERGO

albergo	hotel	*həutél*
pensione	boarding house/ small hotel	*'bɔ:diŋ 'haus/ 'smɔ:l həutél*
cameriere/a	waiter/waitress	*'weitə/ 'weitris*
centralino	operator/ switchboard	*'ɒpəreitə/ 'switʃbɔ:d*
direttore	manager	*'mænidʒə*
portiere	doorman	*'dɔ:mæn*
ascensore	lift	*'lift*
bagno	bathroom	*'bæθru:m*
camera	bedroom	*'bedru:m*
singola	single bedroom	*'siŋgəl bedru:m*
doppia	twin bedroom	*'twin*
matrimoniale	double bedroom	*dʌbəl*
tripla	b. with three beds	*wið θri: 'bedz*
coperta	blanket	*'blæŋkəts*
cuscino	pillow	*'piləu*
doccia	shower	*'ʃauə*
federa	pillow case	*'piləu 'keis*
lavanderia	laundry	*'lɔ:ndri*
lenzuolo	sheet	*'ʃi:t*
lettino per bambini	cot	*'kɒt*
letto	bed	*'bed*
riscaldamento	heating	*'hi:tiŋ*
sala da pranzo	dining room	*'dainiŋ 'ru:m*
uscita di sicurezza	security exit	*sikjúərəti 'eksit*

PRENOTAZIONE TRAMITE UFFICIO TURISTICO O "TOURIST INFO"

Abbiamo previsto che il caso più frequente sia quello in cui si prenota all'arrivo, in aeroporto o in stazione, presso gli appositi uffici. Qualora prenotiate per telefono, andate al punto seguente, ma vi consigliamo in ogni caso di leggere anche questa sequenza.

Dove posso prenotare un albergo?
Where can I make a hotel booking?
Vorrei prenotare un albergo a … .
I want to book a hotel in … .
Vorrei un albergo vicino …
I would like a hotel close to …
  … al centro/allo stadio/agli impianti sciistici.
  … the centre of town/the stadium/the ski station.
  … al porto/all'aeroporto/alla stazione.
  … the port/the airport/the station.
Vorrei una camera singola/matrimoniale.
I would like a single/double room.
Vorrei una camera a due/tre letti.
I would like a room with two/three beds.
Vorrei un appartamento.
I would like a suite.
Vorrei un albergo economico/medio/buono/di lusso.
I want a cheap/average priced/good/luxury hotel.

  For how many days/nights?
  Per quanti giorni/notti?

Mi tratterrò …
I shall be staying …
  … dal … al … .
  … from … to … .
  … per stanotte/qualche giorno/per una settimana.
  … only tonight/a few days/a week.
Vorrei una camera con bagno/doccia/telefono.
I would like a room with a bath/a shower/a telephone.
Vorrei una camera con TV/aria condizionata.
I would like a room with a television/air conditioning.
Desidero una camera silenziosa/con vista.
I would like a quiet room/a room with a view.

3.1 SOGGIORNO E PERNOTTAMENTO

Nell'albergo c'è il garage/il ristorante/l'ascensore/la lavanderia/la piscina?
Does the hotel have a garage/a restaurant/a lift/a laundry/a swimming pool?

I'm sorry, all the hotels are full.
Spiacente, tutti gli alberghi sono al completo.

Può cercare nelle vicinanze?
Can you try in the surroundings?
Quanto costa la camera a notte?
How much is the room per night?
Quanto costa l'appartamento a settimana?
How much is the suite per week?
È compresa la prima colazione?
Does it include breakfast?
Quanto costa la mezza pensione/pensione completa?
How much does it cost with dinner, bed and breakfast/all meals?
È troppo caro, cerchi qualcos'altro.
It's too expensive, could you please look for something else?
Sì, prenoti a nome … .
Yes, book in the name of … .
Arriverò alle … .
I shall arrive at … .

You must arrive before … .
Deve arrivare entro le … .
You have to pay … on account and the balance to the hotel.
Deve pagare … di acconto, il resto all'albergo.
I need an identity document/credit card.
Ho bisogno di un documento/della carta di credito.

Può darmi una piantina?
Can you give me a map?

PRENOTAZIONI TELEFONICHE O ALLA RECEPTION

Avete una camera libera per stanotte/per domani?
Do you have a room for tonight/for tomorrow?
Avete una camera libera per una settimana?
Do you have a room for a week?

No, I'm afraid we're full.
No, siamo al completo.
Yes, we have a room.
Sì, abbiamo una camera.
I'm afraid we don't accept telephone bookings. You should come in personally.
Non accettiamo prenotazioni telefoniche. Venga di persona.

La camera è con bagno?
Is it a room with a bath?

No, with a shower.
No, con doccia.
No, the bathrooms are on the same floor.
No, i bagni sono al piano.

Mi può dare l'indirizzo esatto dell'albergo?
Can you please give me the exact address of the hotel?
Come posso raggiungere l'albergo?
How can I reach the hotel?

Where are you now?
Dove si trova lei adesso?

3.1 SOGGIORNO E PERNOTTAMENTO

ALL'ARRIVO IN ALBERGO

All'arrivo in albergo vi consigliamo di specificare come avete effettuato la prenotazione (agenzia, tourist info, telefono) e mostrare la conferma della prenotazione e/o la ricevuta dell'acconto.

Ho riservato ...
I have reserved ...

... per telefono/tramite agenzia/tramite tourist info ...
... by telephone/through an agency/through the tourist information office ...

... una/due camera/e a nome ... .
... a room/two rooms/in the name of ... .

How many nights will you be staying?
Quante notti si trattiene?

Mi trattengo ... notti/Non so ancora.
I am staying ... nights/I don't know yet.
È possibile avere una camera in più?
Is it possible to have an extra room?
È possibile avere un letto in più/un letto per il bambino?
Is it possible to have an extra bed/a cot for the baby?
Dove posso parcheggiare l'auto?
Where can I park the car?
Può far portare i bagagli in camera?
Can you have the luggage taken to the room?
È possibile depositare questo in cassaforte?
May I deposit this in the safe?
Mi può restituire i documenti?
May I have the identity documents back?
Qual è l'orario della colazione/del pranzo/della cena?
At what time is breakfast/lunch/dinner?
Qual è l'orario di chiusura notturna?
What time do you close at night?

If the front door is closed, ring the bell.
Se l'ingresso è chiuso, suoni il campanello.

Vorrei prolungare la mia permanenza di un giorno/... giorni.
I would like to extend my stay by a day/... days.

SERVIZIO IN CAMERA

La mia camera è la numero ... .
My room number is ... .
Centralino? ...
Operator? ...
... Mi può svegliare alle ore ... ?
... can you please wake me at ... ?
... Non mi passi telefonate in camera.
... please don't put any telephone calls through to my room.
... Posso avere la linea esterna?
... may I have an outside line?
... Può chiamarmi il numero ... di ... ?
... can you call the number ... in ... for me?

Please hold the line.
Resti in linea.
Put your receiver down. I shall ring you back.
Riagganci, le passerò io la comunicazione.
The number is engaged. Shall I try again?
Il numero è occupato. Devo riprovare?
It's ringing.
Sta squillando.

È possibile avere altri appendiabiti?
Is it possible to have some more clothes hangers?
È possibile avere del sapone/un asciugamano?
Is it possible to have some soap/a towel?
È possibile avere della carta igienica?
Is it possible to have some toilet paper?

3.1 SOGGIORNO E PERNOTTAMENTO

È possibile avere la colazione/i pasti in camera?
Is it possible to have breakfast/meals in the room?
È possibile avere un altro cuscino/un'altra coperta?
Is it possible to have another pillow/another blanket?
È possibile alzare/abbassare il riscaldamento?
Is it possible to turn up/to turn down the heating?
È possibile accendere/spengere l'aria condizionata?
Is it possible to switch on/to switch off air conditioning?
Qual è il voltaggio della corrente elettrica?
What voltage is the electric current?
Servizio in camera? Per favore, ... alla camera numero ... .
Room service? Can you please bring ... to room number ... ?
... una bottiglia di .../uno spuntino/dei sandwich ...
... a bottle of .../a snack/some sandwiches ...
... del caffè/del tè/la prima colazione ...
... some coffee/some tea/breakfast ...
Aspetti un momento.
Please wait a moment.
Entri.
Come in.
Appoggi pure lì.
Put it there please.
Lo metta sul mio conto.
Please put it on my account.

DURANTE LA PERMANENZA

Per le frasi e il lessico relativi alla prima colazione, il bar e il ristorante si veda la voce Alimentazione e bevande, area 3.2.

Dov'è la sala da pranzo/il bar?
Where is the dining room/the bar?
Dov'è la piscina/la lavanderia?
Where is the swimming pool/the laundry?
Se qualcuno mi cerca, ...
If anyone is looking for me ...
- **... sarò di ritorno per le ore ... .**
  ... I shall be back at ... o'clock.
- **... sono al bar/ristorante.**
  ... I am in the bar/restaurant.
- **... non ci sono per nessuno fino alle ore ... .**
  ... I am not in until ... o'clock.

Se mi cerca il sig. ... , gli dia questo messaggio.
If Mr ... should ask for me, please give him this message.
Ci sono messaggi per me?
Are there any messages for me?
Vorrei cambiare ... dollari/euro.
I would like to change ... dollars/euro.
Mi può far preparare il cestino per il pranzo?
Can you prepare a lunch box for me?
L'albergo ha un servizio di pullman/taxi?
Does the hotel have a bus/taxi service?

■ IN CASO DI DIFFICOLTÀ PER LA CAMERA E IL SERVIZIO

C'è un errore, avevo chiesto ...
There is a mistake, I asked for ...
- **... un appartamento.**
  ... a suite.
- **... una camera singola.**
  ... a single room.

... una camera doppia/a tre letti.
... a double room/a room with three beds.
Avevo chiesto una camera con ...
I asked for a room with ...
... bagno/doccia.
... a bath/a shower.
... letto per il bambino.
... a cot for a child.
... telefono/frigo-bar/televisore.
... a telephone/a frigobar/a television.
Vorrei cambiare camera.
I would like to change my room.
La camera è troppo rumorosa/piccola.
The room is too noisy/small.
La mia camera non è stata rifatta.
My room has not been cleaned.
Il riscaldamento/l'aria condizionata ...
The heating/The air conditioning ...
Il rubinetto/la doccia/l'acqua calda ...
The tap/The shower/The hot water ...
Il telefono/il televisore/la luce ...
The telephone/The television/The light ...
Lo scarico del gabinetto/del lavandino/della vasca ...
The toilet flush/The basin drain/The bath drain ...
... non funziona.
... does not work.
Il cassetto/la porta dell'armadio non si apre/chiude.
The drawer/The cupboard door does not open/close.
La porta/la finestra/la tapparella non si apre/chiude.
The door/The window/The shutter does not open/close.
Il letto è troppo duro/morbido.
The bed is too hard/soft.
Gli asciugamani/i lenzuoli sono sporchi.
The towels/The sheets are dirty.

Ho perso la chiave.
I have lost the key.
Sono rimasto chiuso fuori dalla mia stanza.
I am locked out of my room.
Qualcuno è entrato nella mia stanza.
Someone has been into my room.
Sono stato derubato all'interno dell'albergo.
I have been robbed inside the hotel.
Voglio sporgere denuncia/reclamo.
I want to make a report/a complaint.
Vorrei parlare con il direttore.
I want to speak to the manager.

■ IN CASO DI DIFFICOLTÀ DA PARTE DELL'ALBERGO

I am afraid that we must change your room.
Dobbiamo spostarla di camera.
The lift is out of order.
L'ascensore è fuori servizio.
Room service is not available until … .
Il servizio in camera è sospeso fino alle ore … .
There is an extra charge for this service.
Per questo servizio è previsto un sovrapprezzo.
The management cannot be held responsible for any damage to guests' possessions.
La direzione non si assume responsabilità per eventuali danni ad oggetti dei clienti.

3.1 SOGGIORNO E PERNOTTAMENTO

PERNOTTARE NEI BED AND BREAKFAST

Avete un elenco dei B&B?
Do you have a list of bed and breakfasts?
Avete una camera libera per stanotte?
Do you have a room for tonight?

> **I'm afraid we are full.**
> Siamo al completo.

Può indicarmi un altro B&B?
Can you suggest another bed and breakfast?
Quanto costa la camera a notte?
How much does the room cost per night?
Come si raggiunge?
How do I get there?
A che ora è la chiusura della porta d'ingresso?
By what time do I have to be in at night?
La colazione non è abbondante.
Breakfast is not very generous.

SOGGIORNARE NEI CAMPING E NEI VILLAGGI TURISTICI

C'è un campeggio/villaggio turistico nella zona?
Is there a camping ground/holiday resort in the area?
Dove posso fare campeggio libero?
Where can I camp?

> **Camping is not allowed in this area.**
> Il campeggio libero è vietato in tutta la zona.

Avete posto per stanotte/tre giorni/una/due/tre settimana/e per ...
Do you have a place for tonight/three days/one/two/three weeks/for ...

... un camper/una roulotte?
... a camper/a caravan?
... una tenda piccola/media/grande?
... a small/medium/large tent?

Avete un bungalow libero per questa/la prossima/due/tre settimana/e?
Do you have a chalet for this/next/the next two/three week/s?

Qual è il prezzo giornaliero per ...
What is the price per day for ...
... adulto/bambino?
... an adult/a child?
... automobile/bicicletta/camper/moto?
... a motor car/bicycle/camper/a motor bike?
... persona/piazzola/roulotte/tenda?
... one person/a plot/a caravan/a tent?

Il costo degli allacciamenti è compreso?
Does it include the cost of the connections?

Vorrei due piazzole vicine.
I would like two plots close together.

Dove sono/è i bagni/le docce/l'acqua potabile?
Where are/is the bathrooms/showers/drinking water?

Dov'è l'allacciamento dell'acqua/del gas/elettrico?
Where is the water/gas/electricity connection?

Dov'è lo spaccio/il ristorante/il supermarket?
Where is the shop/the restaurant/the supermarket?

(Per chiedere informazioni sulle attività sportive e ricreative del villaggio, si consulti Spettacoli e sport, area 5.3, pag. 165)

Entro che ora devo partire?
By what time must I depart?

3.1 SOGGIORNO E PERNOTTAMENTO

PERNOTTAMENTO NEGLI OSTELLI

C'è un ostello della gioventù nella zona?
Is there a youth hostel in the area?
C'è limite (min/max) di età?
Is there an age limit?
C'è un limite di notti di permanenza?
Is there a limit to the number of nights I can stay?

> **You need a membership card.**
> Ci vuole la tessera [nome dell'associazione].

Quanti letti per stanza?
How many beds are there in a room?

> **The rooms have ... beds each.**
> Le stanze/camerate sono a ... letti.

Quanto costa/ano la colazione/le lenzuola/la doccia?
How much does breakfast/do sheets/does a shower cost?
A che ora è il coprifuoco?
At what time is the front door locked?
Entro che ora bisogna confermare/liberare la camera/il posto-letto?
By what time must I confirm/vacate the room/the bed?
Si possono lasciare valori in direzione?
Can valuables be left with the management?
Dove posso lasciare i bagagli?
Where can I leave my luggage?

SOGGIORNARE IN APPARTAMENTI E RESIDENCE

Vorrei un appartamento ammobiliato con ... posti letto per ... .
I would like a furnished apartment with ... beds for ... .
Quanto costa alla settimana/al mese?
How much does it cost per week/month?

Nel prezzo sono comprese le spese di ...
Does the price include ...
... elettricità/riscaldamento/acqua?
... electricity/heating/water?
... pulizie finali?
... cleaning when I leave?
Nell'appartamento ci sono ...
Are there ... in the apartment?
... lenzuola e coperte/asciugamani?
... sheets and blankets/towels ...
... piatti e stoviglie?
... crockery and kitchen utensils ...
L'appartamento ha ...
Does the apartment have ...
... il frigorifero/congelatore?
... a fridge/a deep freeze?
... il garage/il giardino/il terrazzo?
... a garage/a garden/a terrace?
... il bagno/l'acqua calda/il riscaldamento?
... a bathroom/hot water/heating?
... il telefono/il televisore/l'aria condizionata?
... a telephone/a television/air conditioning?
... l'angolo cottura/la lavastoviglie/la lavatrice?
... a kitchenette/a dishwasher/a washing machine?

You have to sign the contract.
Deve firmare il contratto.
You will have to sign the inventory of items in the apartment.
Deve firmare l'inventario degli oggetti contenuti nel-l'appartamento.

Nel mio appartamento manca/è rotto/non funziona ... .
... is missing/broken/doesn't work in my apartment.

Questi oggetti dell'inventario non ci sono.
These items on the inventory are missing.
Manca un letto per il bambino.
There is no bed for the baby.

ALLA PARTENZA: VERIFICARE E PAGARE IL CONTO

Parto subito/alle ore ... , mi può preparare il conto?
I am leaving immediately/at ... ; can you prepare my account, please?
A che ora devo lasciare la camera?
By what time must I leave the room?
Può far portare giù i bagagli?
Can you have the luggage brought down, please?
All'arrivo mi ha detto un altro prezzo.
When I arrived I was told a different price.
Il prezzo dettomi dall'agenzia è di ... .
The agency told me that the price was ... .
Ho già pagato alla mia agenzia. Ecco il voucher.
I have already paid the agency. Here's the voucher.
Questo servizio è incluso nel prezzo.
This service is included in the price.
Ho già lasciato ... di acconto.
I have already paid ... on account.
Ci deve essere un errore nel conto.
There must be a mistake in the account.
Non ho mai usato questo servizio.
I never used this service.
Mi sono trovato molto bene.
I was very comfortable.

PASTI E CIBO

Il glossario e il frasario di questa situazione servono per ordinare i pasti nei ristoranti e nei locali affini, ma servono anche nel caso si faccia la spesa e si cucini da soli. Per trovare il lessico e il frasario relativi ad alimenti e preparazioni, occorre fare riferimento ai vari pasti (prima colazione ecc.) e alle portate (minestre, carni ecc.).

cena	dinner	*'dinə*
cibo	food	*'fu:d*
mangiare	to eat	*tu 'i:t*
merenda	snack	*'snæk*
pranzo, colazione	lunch	*'lʌntʃ*
prima colazione	breakfast	*'brekfəst*
spuntino	snack	*'snæk*

PRIMA COLAZIONE

Per il pane e affini si veda alla voce specifica. Si vedano anche Salse e condimenti, Frutta e Dessert.

brioches	brioche	*bri:ɒʃ*
burro	butter	*'bʌtə*
caffè	coffee	*'kɒfi*
decaffeinato	decaffeinated c.	*di:kæfineit 'kɒfi*
caffelatte	cafe au lait	*'kæfei əu 'le*
cappuccino	cappuccino	*kæputʃi:nəu*
cereali	cereals	*'siriəlz*
cioccolata	chocolate	*'tʃɒkələt*
formaggi	cheeses	*'tʃi:ziz*
latte	milk	*'milk*
marmellata	jam/marmalade	*'dʒæm/ 'ma:məleid*
miele	honey	*'hɒni*
panna	cream	*'kri:m*

3.2 ALIMENTAZIONE

prosciutto	ham	*'hæm*
salumi	cold meats	*'kəuld 'mi:ts*
spremuta	squash	*'skwɒʃ*
di arancia	orange squash	*'ɒrindʒ 'skwɒʃ*
di limone	lemon squash	*'lemən 'skwɒʃ*
di pompelmo	grapefruit squash	*'greipfru:t 'skwɒʃ*
succo	juice	*'dʒu:s*
di agrumi	citrus juice	*'sitrəs 'dʒu:s*
di ananas	pineapple juice	*'painæpəl 'dʒu:s*
di frutta	fruit juice	*'fru:t 'dʒu:s*
di pomodoro	tomato juice	*təmá:təu*
tè	tea	*'ti:*
uova	eggs	*'egz*
alla coque	soft-boiled eggs	*'sɒft- 'bɔild 'egz*
al tegamino	fried eggs	*'fraid 'egz*
con pancetta	eggs and bacon	*'egz ənd 'beikən*
in camicia	poached eggs	*'pəutʃt 'egz*
fritte	fried eggs	*'fraid 'egz*
sode	hard-boiled eggs	*'ha:d- 'bɔild 'egz*
strapazzate	scrambled eggs	*'skræmbəld 'egz*
yogurt	yoghurt	*'jɒgət*
zucchero	sugar	*'ʃugə*

Vorrei fare colazione.
I would like to have breakfast.
Vorrei una colazione completa.
I would like an English breakfast.
Vorrei una piccola colazione.
I would like a continental breakfast.
Vorrei ancora un po' di ... .
May I have a little more ... .

SCEGLIERE UN RISTORANTE

Per orientarvi sulla scelta del luogo dove ristorarvi, tenendo presente che all'estero si possono consumare pasti caldi a sedere anche in locali diversi dal classico ristorante.

bar	bar	*'ba:*
birreria	pub	*'pʌb*
buffet	buffet	*'bu:fei*
caffè [il locale]	cafe	*'kæfei*
chiosco	kiosk	*'ki:ɒsk*
friggitoria	fish and chip shop	*'fiʃ ənd 'tʃip 'ʃɒp*
panineria	sandwich shop	*'sændwitʃ 'ʃɒp*
pasticceria	pastry shop	*'pæstri 'ʃɒp*
rosticceria	take-away	*'teik əwéi*
sala da tè	tearoom	*'ti:ru:m*
tavola calda	snack bar	*'snækba:*
vineria (Wine Bar)	wine bar	*'wainba:*

Dove posso mangiare qualcosa di caldo?
Where can I eat something hot?
Può indicarmi un ristorante ...
Can you tell me where to find a ... restaurant?
... nelle vicinanze/economico?
... nearby/cheap ...
... tipico/vegetariano/aperto fino a tardi?
... typical/vegetarian/late night ...
A che ora apre/chiude?
At what time does it open/close?
Si può raggiungere a piedi?
Can you reach it on foot?
È necessario prenotare?
Is it necessary to book?

3.2 ALIMENTAZIONE

Mi può scrivere il nome e l'indirizzo?
Can you write down its name and address for me, please?

PRENOTARE UN TAVOLO

Queste frasi servono per prenotare telefonicamente un tavolo o per chiederlo direttamente al locale.

Vorrei prenotare un tavolo per … persone per le … a nome … .
I would like to book a table for … persons, at … o'clock in the name of … .

> **We don't take bookings.**
> Non prendiamo prenotazioni.
> **I'm sorry but we are full.**
> Spiacente, siamo al completo.

Può consigliarmi un altro ristorante vicino?
Can you recommend another restaurant nearby?
Ho prenotato un tavolo a nome. … .
I have booked a table in the name of … .
Avete un tavolo per … persone?
Do you have a table for … persons?

> **You'll have to wait, I'm afraid.**
> C'è da aspettare.
> **I'm afraid we're closing.**
> Stiamo chiudendo.

È libero questo tavolo?
Is this table free?

> **This table is reserved.**
> Questo tavolo è prenotato.

Vorrei un tavolo …
I would like a table …
… all'aperto/nel settore (non) fumatori.
… outside/in the (non) smokers' section.

... lontano dalla/vicino alla finestra.
... away from/close to the window.
Dov'è il bar/l'attaccapanni/la toilette?
Where is the bar/coat stand/toilet?
Sto aspettando altre ... persone.
I am waiting for ... more people.

We have service only at the tables.
Facciamo solo servizio ai tavoli.
We serve only complete/full meals.
Serviamo solo menù completi.

IL COPERTO E L'APPARECCHIATURA

Frasi ed espressioni che servono per richiedere di sostituire o aggiungere qualcosa al coperto e altre esigenze simili

ampolle	cruets	*'kru:its*
bicchiere	glass	*'gla:s*
da acqua	water glass	*'wɔ:tə 'gla:s*
da spumante	champagne glass	*'ʃampein 'gla:s*
da vino	wine glass	*'wain 'gla:s*
bicchierino	small glass	*'smɔ:l 'gla:s*
bottiglia	bottle	*'bɒtəl*
brocca, caraffa	jug/carafe	*'dʒʌg/keræ̀f*
cannuccia	straw	*'strɔ:*
coltello	knife	*'naif*
cucchiaio	table spoon	*'teibəlspu:n*
cucchiaino	teaspoon	*'ti:spu:n*
forchetta	fork	*'fɔ:k*
formaggiera	cheese dish	*'tʃi:z diʃ*
piattino	small plate	*'smɔ:l 'pleit*
piatto	plate	*'pleit*
saliera	salt-cellar	*'sɔ:lt – 'selə*
scodella	soup plate	*'su:p 'pleit*
stuzzicadenti	toothpicks	*'tu:θpiks*

tazza, ciotola	cup, mug	*'kʌp/ 'mʌg*
tazzina	coffee cup	*'kɒfi 'kʌp*
tovaglia	tablecloth	*'teibəlklɒθ*
tovagliolo	napkin/serviette	*'næpkin/sɜ:viėt*
vassoio	tray	*'trei*
zuppiera	soup tureen	*'su:p tjurí:n*

Manca un coperto.
We need another place setting.
Può portare una forchetta/le posate/dell'altro pane?
Could you bring a fork/some cutlery/some more bread?
Può portare un posacenere/uno smacchiatore?
Could you bring an ashtray/something to clean with?
Può portare un seggiolone per il bambino?
Could you bring a highchair for the child?
Potrebbe portar via queste cose?
Could you take away these things?
Può portare un altro bicchiere/coltello?
Could you bring another glass/knife?

FARE L'ORDINAZIONE

Per la preparazione dei piatti vedi i punti seguenti, Cucina e preparazione e Diete e preparazioni speciali, oltre ai punti relativi alle singole portate.

Cameriere/a, prego.
Waiter/waitress.
Mi può portare il menu/la lista dei vini?
Could you bring me the menu/wine list?

> **Do you want to eat à la carte?**
> Volete mangiare alla carta?

Un momento, non abbiamo ancora scelto.
We haven't decided yet.
Vorrei ordinare.
I'd like to order.

Che cosa mi consiglia?
What can you recommend?
Qual è il piatto/il menu del giorno?
What is the dish/menu of the day?
Qual è la specialità della casa/locale?
What is your/the local speciality?
Avete un menu vegetariano/turistico/a prezzo fisso?
Do you have a vegetarian/tourist/fixed price menu?
Avete piatti unici/mezze porzioni/porzioni per bambini?
Do you serve light luncheons/half portions/children's portions?
I piatti sono serviti con contorno incluso nel prezzo?
Are vegetables included in the price of the dishes?
Il servizio e il coperto sono compresi nel prezzo?
Is service and cover charge included?

> **They're all included.**
> È tutto compreso.
> **Service is not included.**
> Il servizio non è compreso.

Di primo prendo ... , di secondo ... con contorno di ... .
As a first course I shall have ... , as a second ... with ... .

> **You will have to wait a little for this dish.**
> Per questo piatto c'è un po' da aspettare.
> **The ... is for a minimum of two people.**
> Di (questo piatto) serviamo minimo due porzioni.
> **That is finished, I'm afraid.**
> L'abbiamo terminato.

Il secondo lo ordiniamo dopo.
We'll order our second courses afterwards.
Abbiamo fretta, può servirci subito?
We are in a hurry, would you be able to serve us immediately?
È molto che stiamo aspettando, potrebbe servirci?
We've been waiting rather long, could you serve us?

3.2 ALIMENTAZIONE

PER CHI SOFFRE DI CELIACHIA...

Italiano	English	Pronuncia
avena	oats	*'əuts*
cereali	cereals	*'siriəlz*
crusca	bran	*'bræn*
farro	emmer	*'emə*
frumento	wheat	*'hwi:t*
mais	maize	*'meiz*
malto	malt	*'mɔ:lt*
miglio	millet	*'milit*
orzo	barley	*'ba:li*
riso	rice	*'rais*
segale	rye	*'rai*
soia	soya	*'sɔiə*
addensanti, emulsionanti, stabilizzatori	thickeners, emulsifiers, stabilisers	*'θikənəz, iməlsifáiəz, stabiláizəz*
essenza di caffè	coffee essence	*'kɒfi 'esens*
farina	flour	*'flauə*
di frumento	wheat flour	*'hwi:t 'flauə*
germe di grano	wheat germ	*hwi:t dʒɜ:m*
glutine	gluten	*'glju:tən*
pane	bread	*'bred*
pan grattato	bread-crumbs	*'bredkrʌmz*
polvere di cacao	cocoa powder	*'kəukəu 'paudə*
proteine vegetali (idrolizzate)	vegetable (hydrolised) proteins (PPH)	*'vedʒitəbəl 'haidrolaizd 'prəuti:nz*
aceto aromatico	aromatic vinegar	*ærəmǽtik 'vinigə*
birra	beer	*'biə*
biscotti	biscuits, cookies	*'biskwits, 'cuki:z*
carne/pesce impanata/o	meat/fish with bread-crumbs	*mi:t/fiʃ wið 'bredkrʌmz*
fritti	fry, fried	*'frai, 'fraid*

frutta candita	candy fruit	*'kændi: 'fru:t*
salumi	cold meats	*'kəuld 'mi:ts*
verdure gratinate	vegetables au gratin	*'vedʒitəbəlz o 'grætən*

Soffro di celiachia, un'intolleranza al glutine che causa gravi problemi digestivi.
I suffer from coeliac disease, which is a gluten intolerance leading to serious digestive problems.
Il glutine è una sostanza contenuta in alcuni cereali.
Gluten is a substance contained in some cereals.
Non posso mangiare pasta, pane, farina, cereali.
I am not allowed to eat pasta, bread, flour, cereals.
Per favore, può cuocermi il riso a parte, senza aggiungervi la pasta né l'acqua di cottura della pasta?
Would you please cook the rice separately for me, without adding pasta or the salted pasta water?
È possibile preparare questo piatto senza .../con un altro ingrediente al posto di ... ?
Is it possible to cook this dish without .../with another ingredient instead of ... ?
Nella preparazione di questo piatto/sugo impiegate farina/pane anche in piccole dosi?
Are flour/bread even in small quantities among the ingredients of this dish/sauce?
Ci sono pezzetti di pane/cereali nella minestra?
Does the soup contain any bread-crumbs/cereals?
Vorrei un'insalata, ma senza condimento. Può portarmi olio d'oliva e aceto di vino rosso a parte?
I would like a salad with no dressing. Could you bring the olive oil and red wine vinegar to the table for me to add?
Per favore, non ci aggiunga altre salse.
Do not add any other sauce, please.

3.2 ALIMENTAZIONE

CUCINA E PREPARAZIONE DEI PIATTI

affumicato	smoked	*'sməukt*
al naturale	plain	*'plein*
arrosto	roasted	*'rəustid*
bollito	boiled	*'bɔild*
brasato	braised	*'breizd*
fresco	fresh	*'freʃ*
surgelato	frozen	*'frəuzn*
bollente	boiling	*'bɔiliŋ*
cottura, cuocere	cooking method, to cook	*'kukiŋ 'meθəd tu 'kuk*
al sangue	rare	*'reə*
normale	normal	*'nɔ:məl*
media	medium	*'mi:diəm*
a bagnomaria	in a bainmarie	*in ə bæ̃mærí:*
a vapore	steamed	*'sti:md*
al forno	baked	*'beikt*
al piatto	warmed-up	*'wɔ:md-ʌp*
al tegame	in a frying-pan	*in ə 'fraiŋ-pæn*
alla griglia	grilled	*'grild*
allo spiedo	on a spit	*ɒn ə 'spit*
in casseruola	casseroled	*'kæsərəul*
in padella	in a frying-pan	*in ə 'fraiŋ-pæn*
in teglia	in an oven dish	*in ən 'əuvən 'diʃ*
in umido	stewed	*'stju:d*
condito	dressed/seasoned	*'drest/ 'si:znd*
crudo	raw	*'rɔ:*
farcito, ripieno	stuffed, filled	*'stʌft/ 'fild*
fritto	fried	*'fraid*
marinato	marinated	*'mærineitid*
pasticcio	pie/pastry	*'pai/ 'peistri*
purea	purée	*'pjuərei*
stufato	stew/stewed	*'stju:/ 'stju:d*

Come è cucinato questo piatto?
How is this dish cooked?
Quali sono gli ingredienti di questo piatto?
What is in this dish?
È piccante?
Is it piquant?
Non posso mangiare il … .
I cannot eat … .
Ben cotto, per favore.
Well cooked, please.

DIETE E PREPARAZIONI SPECIALI

Questo piatto contiene …
Does this contain …
… alcool/carne di maiale/farina/formaggio?
… alcohol/pork/flour/cheese?
… grasso/pesce/sale/uovo/zucchero?
… fat/fish/salt/egg/sugar?
Avete … per diabetici?
Do you have a diabetic …
… dessert/dolci/un menu/dolcificante …
… dessert/sweet/menu/sweetener?
Potrei avere un dolcificante dietetico?
Could I have an artificial sweetener?

3.2 ALIMENTAZIONE

SALSE, PANE E CONDIMENTI

aceto	vinegar	*ˈvinigə*
azimo	unleavened	*ʌnlevnd*
burro	butter	*ˈbʌtə*
crackers	crackers	*ˈkrækəz*
grissini	bread sticks	*ˈbredstiks*
limone	lemon	*ˈlemən*
maionese	mayonnaise	*meiənéiz*
margarina	margarine	*ˈma:dʒəri:n*
olio	oil	*ˈɔil*
di semi	corn oil	*ˈkɔ:n ˈɔil*
di arachide	peanut oil	*ˈpi:nʌt ˈɔil*
di girasole	sunflower seed oil	*ˈsʌnflauə ˈsi:d ɔil*
d'oliva	olive oil	*ˈɒliv ˈɔil*
pane	bread	*ˈbred*
bianco	white bread	*ˈwait ˈbred*
integrale	brown bread	*ˈbraun ˈbred*
tostato	toast	*ˈtəust*
panini	bread rolls	*ˈbred ˈrəul*
pepe	pepper	*ˈpepə*
sale	salt	*ˈsɔ:lt*
salsa	sauce	*ˈsɔ:s*
di pomodoro	tomato sauce	*təmá:təu ˈsɔ:s*
di soia	soya sauce	*ˈsɔiə ˈsɔ:s*
tartara	tartar sauce	*ˈta:tə ˈsɔ:s*
senape	mustard	*ˈmʌstəd*

È già condito?
Is it already seasoned?
Vorrei della verdura/dell'insalata senza condimento.
I would like some vegetables/salad without any dressing.

BEVANDE

bevande	drinks	*'driŋks*
dietetiche	diet drinks	*'daiət 'driŋks*
lattina	can	*'kæn*
acqua	water	*'wɔ:tə*
minerale	mineral water	*'minərəl 'wɔ:tə*
naturale	still mineral water	*'stil 'minərəl 'wɔ:tə*
gassata	sparkling mineral water	*'spa:kliŋ 'minərəl wɔ:tə*
acqua tonica	tonic water	*'tɒnik wɔ:tə*
aranciata	orange drink	*'ɒrindʒ 'driŋk*
birra	beer	*'biə*
alla spina	draught beer	*'dra:ft 'biə*
piccola	small beer	*'smɔ:l 'biə*
media	medium beer	*'mi:diəm 'biə*
grande	large beer	*'la:dʒ 'biə*
in lattina	beer in a can	*'biə in ə 'kæn*
in bottiglia	bottled beer	*'bɒtəl 'biə*
chiara	light beer	*'lait 'biə*
rossa	dark beer	*'da:k 'biə*
scura	dark beer/stout	*'da:k 'biə/ 'staut*
gassosa, limonata	lemonade	*leməneíd*
sidro	cider	*'saidə*
vino	wine	*'wain*
della casa	house wine	*'haus 'wain*
del posto	local wine	*'ləukəl 'wain*
di marca	estate wine/ choice wine	*isteít 'wain/ 'tʃɔis wain*
in bottiglia	bottled wine	*'bɒtəld 'wain*
in caraffa	carafe of wine	*kərǽf ɒv 'wain*
sfuso	wine from the barrel	*'wain frɒm ðə 'bærəl*
bianco	white wine	*'wait 'wain*

3.2 ALIMENTAZIONE

rosé	rosé wine	*rəuzėi'wain*
rosso	red wine	*'red'wain*
da dessert	dessert wine	*dizɜ̀:t'wain*
amabile	sweet wine	*'swi:t'wain*
secco	dry wine	*'drai'wain*
spumante	sparkling wine	*'spa:kliŋ 'wain*
a temperatura ambiente	at room temperature	*æt'ru:m 'temprətʃə*
di cantina	chilled	*'tʃild*
ghiacciato	on ice	*ɒn'ais*

What would you like to drink?
Cosa ordina da bere?

Può portare la lista dei vini?
Could you bring me the wine list?
Servite vino in bicchieri?
Do you serve wine by the glass?
Una caraffa di ... .
A carafe of ... .

We have only bottled wine.
Abbiamo solo vino in bottiglia.

Una bottiglia di ... .
A bottle of ... .
Quali sono i vini della zona?
Which are the local wines?
Com'è il vino della casa?
What is the house wine like?
Mi può consigliare un vino per questo piatto?
Can you recommend a wine to go with this dish?
Vorrei una birra.
I would like a beer.
Quali marche di birra avete?
What brands of beer do you have?

We have only draught beer/beer in bottles.
Abbiamo solo birre alla spina/in bottiglia.

Un bicchiere/una coppa/una lattina di … .
A glass/a glass/a can of … .
Potrei avere una cannuccia?
May I have a straw?

I PASTI PRINCIPALI

APERITIVI E ANTIPASTI

Per integrare il lessico relativo agli Aperitivi si vedano anche i punti Bevande e Liquori, mentre per quanto riguarda gli Antipasti si può integrare il frasario con vocaboli dei punti relativi alla Prima colazione, alle Insalate e agli Spuntini.

aperitivo	apéritif	*əperití:f*
alcolico	alcoholic a.	*ælkəhɒ́lik əperití:f*
leggero	light apéritif	*'lait əperití:f*
secco	dry apéritif	*'drai əperití:f*
liscio	neat/straight a.	*'ni:t/'streit*
analcolico	non-alcoholic a.	*nɒn-ælkəhɒ́lik*
della casa	house apéritif	*'haus əperití:f*
antipasti	hors d'oeuvre	*ɔ:dɜ́:vr*
caldi	hot h. d'o.	*'hɒt ɔ:dɜ́:vr*
freddi	cold h. d'o.	*'kəuld ɔ:dɜ́:vr*
di mare	seafood salad	*'si:fu:d 'sæləd*
misti	mixed h. d'o.	*'mikst ɔ:dɜ́:vr*
acciughe	anchovies	*'æntʃəvi*
aragosta	lobster/crayfish	*'lɒbstə/'kreifiʃ*
aringhe	herring	*'heriŋ*
asparagi	asparagus	*əspǽrəgəs*
avocado	avocado	*ævəká:dəu*
carciofi	globe artichokes	*gləub 'a:titʃəuks*
caviale	caviar	*'kævia:*

cetriolo	cucumber	*'kju:kəmbə*
chiocciole	snails	*'sneils*
cozze	mussels	*'mʌsəls*
crostini	canapés	*'kænəpis*
funghi	mushrooms	*'mʌʃru:m*
gamberetti	shrimps	*'ʃrimps*
granchio	crab	*'kræb*
insalata russa	Russian salad	*'rʌʃən 'sæləd*
lingua salmistrata	corned tongue	*'cɔ:nd 'tʌŋ*
melone	melon	*'melən*
olive	olives	*'ɒlivs*
ostriche	oysters	*'ɔistəz*
pancetta	bacon	*'beikən*
affumicata	smoked bacon	*'sməukət 'beikən*
paté	pâté	*pætéi*
peperoni	peppers	*'pepəz*
prosciutto	ham	*'hæm*
affumicato	smoked ham	*'sməukt 'hæm*
cotto	cooked ham	*'kukt 'hæm*
crudo	raw ham	*'rɔ: 'hæm*
di Praga	Prague ham	*'pra:g 'hæm*
ravanelli	radishes	*'rædiʃiz*
salame	salami	*səlá:mi*
salmone	salmon	*'sæmən*
salsiccia	sausage	*'sɔ:sidʒ*
sardine	sardines	*'sa:di:nz*
scampi	prawns	*'prɔ:nz*
sgombri	mackerels	*'mækrəlz*
affumicati	smoked m.	*'sməukt 'mækrəlz*
sottaceti	pickles	*'pikəlz*
sottoli	vegetables in oil	*'vedʒitəbəlz in ɔil*
tartine	canapés	*'kænəpis*
tonno	tuna	*'tju:nə*
tartufi	truffles	*'trʌfəlz*

uova	eggs	*'egz*
vongole	mussels/clams	*'mʌsəlz/'klæmz*

Potrebbe servirci un aperitivo?
Could you bring us an apéritif?
C'è un tavolo degli antipasti?
Is there a buffet of hors d'oeuvre/starters?
Porti degli antipasti assortiti.
Please bring a selection of starters.
Avete un vino da antipasti?
Do you have a wine that will go with the starters?

LE INSALATE

Si veda anche la voce Salse e condimenti. È bene ricordare che in alcuni paesi l'insalata viene servita come antipasto, se quindi la si desidera come contorno consigliamo di specificarlo.

insalata	salad	*'sæləd*
condita	dressed	*'drest*
con olio e aceto	with oil and vinegar	*wið 'ɔil ənd 'vinigə*
con panna	with cream	*wið 'kri:m*
con senape	with mustard	*wið 'mʌstəd*
al naturale	plain salad	*'plein 'sæləd*
verde	green salad	*'gri:n 'sæləd*
mista	mixed salad	*'mikst 'sæləd*
di pomodori	tomato salad	*təmá:təu 'sæləd*
di riso	rice salad	*'rais 'sæləd*
nizzarda	salad Niçoise	*'sæləd ni:swɒz*

Vorrei un'insalata verde/mista condita con olio e aceto.
I would like a green/mixed salad with a French dressing.
Avete piatti unici a base d'insalata?
Do you have a main course of salad?

3.2 ALIMENTAZIONE

PRIMI E MINESTRE

brodo, consommé	soup, consommé	*'su:p kənsɒméi*
con pastina	c. with noodles	*wið 'nu:dəlz*
di manzo	beef soup/ cons.	*'bi:f 'su:p/ kənsɒméi*
di pollo	chicken soup	*'tʃikən 'su:p*
di pesce	fish soup	*'fiʃ 'su:p*
di selvaggina	game soup/broth	*'geim 'su:p/ 'brɒθ*
di tartaruga	turtle soup	*'tɜ:təl 'su:p*
vegetale	vegetable soup	*'vedʒitəbəl 'su:p*
crema	cream	*'kri:m*
di asparagi	c. of asparagus	*'kri:m ɒv əspǽrəgəs*
di funghi	c. of mushroom	*'kri:m ɒv 'mʌʃru:m*
di piselli	c. of pea	*'kri:m ɒv 'pi:*
di porri	c. of leek	*'kri:m ɒv 'li:k*
minestra	soup	*'su:p*
di patate	potato soup	*pətéitəu 'su:p*
di verdure	vegetable soup	*'vedʒitəbəl 'su:p*
passato	soup/purée	*'su:p/pjuréi*
di sedano	celery soup	*'seləri 'su:p*
di spinaci	spinach purée	*'spinitʃ pjuréi*
di verdure	vegetable s./ purée	*'vedʒitəbəl 'su:p/ pjuréi*
zuppa	soup	*'su:p*
di cavolo	cabbage soup	*'kæbidʒ 'su:p*
di cipolle	onion soup	*'ʌnjən 'su:p*
di granchi	crab soup	*'kræb 'su:p*
di pesce	fish soup	*'fiʃ 'su:p*
di pomodori	tomato soup	*təmá:təu 'su:p*
maccheroni	macaroni	*mækərə́uni*
spaghetti	spaghetti	*spəgéti*
pastasciutta	pasta	*'pæstə*

alla bolognese	with meat sauce	*wið 'mi:t 'sɔ:s*
al burro	with butter	*wið 'bʌtə*
alla salsa di pomodoro	with tomato sauce	*wið təmá:təu 'sɔ:s*
riso	rice	*'rais*
al burro	buttered rice	*'bʌtəd 'rais*
al curry	curried rice	*'kʌrid 'rais*
all'olio	rice with olive oil	*'rais wið 'ɒliv 'ɔil*
in brodo	rice in broth	*'rais in 'brɒθ*

Qual è la minestra del giorno?
What is the soup of the day?
Vorrei del brodo magro.
I would like a thin soup.
Servite il riso di contorno?
Do you serve rice as a side dish?

CONTORNI E AROMI

verdure	vegetables	*'vedʒitəbəlz*
alla griglia	grilled veg.	*'grild vedʒitəbəlz*
al vapore	steamed veg.	*'sti:md 'vedʒitəbəlz*
in casseruola	casseroled veg.	*'kæsərəuld 'vedʒitəbəlz*
in forno	roasted veg.	*'rəustid 'vedʒitəbəlz*
in padella	fried veg.	*'fraid 'vedʒitəbəlz*
condite	veg. seasoned	*'vedʒitəbəlz 'si:znd*
con panna	with cream	*wið 'kri:m*
con olio e limone	with oil and lemon	*wið 'ɔil ənd 'lemən*
asparagi	asparagus	*əspǽrəgəs*

3.2 ALIMENTAZIONE

barbabietole	beetroot	*'bi:tru:t*
carciofi	artichokes	*'a:titʃəuks*
carote	carrots	*'kærəts*
cavolfiore	cauliflower	*'kɒliflauə*
cavolo	cabbage	*'kæbidʒ*
ceci	chick-peas	*'tʃik-'pi:z*
cetrioli	cucumbers	*'kju:kəmbəz*
cicoria	chicory	*'tʃikəri*
cipolle	onion	*'ʌnjən*
crescione	watercress	*'wɔ:təkres*
fagioli	haricot beans	*'hærikəut 'bi:nz*
fagiolini	French beans	*'frentʃ 'bi:nz*
fave	broad beans	*'brɔ:d 'bi:nz*
finocchi	fennel	*'fenəl*
funghi	mushrooms	*'mʌʃru:mz*
granturco, mais	sweetcorn	*'swi:tkɔ:n*
indivia	endive	*'endaiv*
insalata	lettuce/salad	*'letis/'sæləd*
lattuga	lettuce	*'letis*
lenticchie	lentils	*'lentilz*
melanzane	aubergines	*'əubəʒi:nz*
patate	potatoes	*pətéitəuz*
fritte	chips, fried p.	*'tʃips, 'fraid pətéitəuz*
a bastoncino	matchstick p.	*'mætʃstik*
in forno	baked p.	*'beikt*
purè	purée	*pjuréi*
peperoni	peppers	*'pepəz*
piselli	peas	*'pi:z*
pomodori	tomatoes	*təmá:təuz*
porri	leeks	*'li:ks*
radicchio	radicchio, chicory	*rədí:kiəu, 'tʃikəri*
rafano	horseradish	*'hɔ:srædiʃ*
rape	turnips	*'tɜ:nips*
ravanelli	radishes	*'rædiʃiz*

sedano	celery	*ˈseləri*
zucca	pumpkin	*ˈpʌmpkin*
zucchini	courgettes	*kuəʒėts*
aglio	garlic	*ˈga:lik*
alloro	bay	*ˈbei*
basilico	basil	*ˈbeisəl*
capperi	capers	*ˈkeipəz*
menta	mint	*ˈmint*
paprika	paprika	*ˈpæprikə*
peperoncino	chili pepper	*ˈtʃili ˈpepə*
prezzemolo	parsley	*ˈpa:sli*
rosmarino	rosemary	*ˈrəuzməri*
salvia	sage	*ˈseidʒ*
zafferano	saffron	*ˈsæfrən*

PIETANZE DI CARNI

carni	meat	*ˈmi:t*
bianche	white meat	*ˈhwait ˈmi:t*
rosse	red meat	*ˈred ˈmi:t*
agnello	lamb	*ˈlæm*
anatra	duck	*ˈdʌk*
cappone	capon	*ˈkeipən*
capretto	kid/goat	*ˈkid/ ˈgəut*
castrato	mutton	*ˈmʌtən*
coniglio	rabbit	*ˈræbit*
faraona	guinea-fowl	*ˈgini:faul*
gallina	hen	*ˈhen*
maiale	pork	*ˈpɔ:k*
manzo	beef	*ˈbi:f*
oca	goose	*ˈgu:s*
piccione	pigeon	*ˈpidʒən*
pollame	poultry	*ˈpəultri*
pollo	chicken	*ˈtʃikən*
ala	wing	*ˈwiŋ*
anca	leg	*ˈleg*

3.2 ALIMENTAZIONE

coscia	thigh	*θai*
petto	breast	*'brest*
porcellino	sucking-pig	*'sʌkiŋ'pig*
tacchino	turkey	*'tɜːki*
vitello/a	veal	*'viːl*
capriolo	venison	*'venisən*
cervo	venison	*'venisən*
cinghiale	wild boar	*'waild'bɔː*
fagiano	pheasant	*'fezənt*
lepre	hare	*'heə*
quaglia	quail	*'kweil*
selvaggina	game	*'geim*
Parti e pezzi		
animelle	sweetbreads	*'swiːt bredz*
cuore	heart	*'haːt*
fegato	liver	*'livə*
frattaglie	giblets/offal	*'dʒiblits/'ɔfəl*
lingua	tongue	*'tʌŋ*
lombata	loin	*'lɔin*
rognone	kidney	*'kidni*
spalla	shoulder	*'ʃəuldə*
stinco	shin	*'ʃin*
testina	head	*'hed*
trippa	tripe	*'traip*
zampa, zampetti	trotters	*'trɒtəz*
Tagli		
bistecca	steak	*'steik*
braciola	chop	*'tʃɒp*
costata	entrecôte	*'ɒntrəkəut*
cotoletta	cutlet/chop	*'kʌtlit/'tʃɒp*
filetto	fillet	*'filit*
piccata	escalope	*'eskəlɒp*
rosbif	roast beef	*'rəustbiːf*
scaloppina	escalope	*'eskəlɒp*

Preparazioni		
gelatina	gelatine	*'dʒelətiːn*
involtini	rolled and filled	*'rəuld ənd 'fild*
lardellato	with bacon	*wið 'beikən*
macinata	minced	*'minst*
medaglioni	rounds	*'raundz*
polpette	rissoles	*'risəulz*
sanguinaccio	black pudding	*'blæk 'pudiŋ*
spezzatino	stew	*'stjuː*
svizzera	Hamburg steak	*'hembʌə 'stik*

Avete un piatto freddo di carne?
Do you have some cold meats?
Vorrei uno stinco di maiale al forno.
I would like a roast pork shin.
Vorrei una scaloppina di vitello.
I would like a veal escalope.
Vorrei una costata di manzo ai ferri ben cotta.
I would like a grilled entrecôte, well done.

■ PESCE

pesce	fish	*'fiʃ*
azzurro	oily fish	*'ɔili 'fiʃ*
bianco	white fish	*'hwait 'fiʃ*
al forno	baked fish	*'beikt 'fiʃ*
alla griglia	grilled fish	*'grild 'fiʃ*
lesso	boiled fish	*'bɔild 'fiʃ*
frittura	fried fish	*'fraid 'fiʃ*
trancio	slice/steak	*'slais/ 'steik*
acciughe	anchovies	*'æntʃəviz*
anguilla	eel	*'iːl*
aragosta, astice	lobster	*'lɒbstə*
bianchetti	whitebait	*'hwaitbeit*
branzino	bass	*'bæs*
calamari	squid	*'skwid*

3.2 ALIMENTAZIONE

cappesante	scallops	*'skæləps*
carpa	carp	*'ka:p*
cozze	mussels	*'mʌsəlz*
dentice	dentex/bream	*'denteks/'bri:m*
frutti di mare	seafoods	*'si:fu:ds*
gamberetti	shrimps	*'ʃrimps*
gamberi	prawns	*'prɔ:nz*
granchio	crab	*'kræb*
luccio	pike	*'paik*
merluzzo	cod	*'kɒd*
molluschi	shellfish	*'ʃelfiʃ*
muggine	grey mullet	*'greimʌlit*
nasello	hake	*'heik*
orata	gilt-head	*'gilthed*
persico	perch	*'pɜ:tʃ*
pesce cappone	scorpion fish	*'sko:piən'fiʃ*
pesce San Pietro	John Dory	*'dʒɔ:n'dɔ:ri*
pescespada	swordfish	*'sɔ:dfiʃ*
pettini	scallops	*'skæləps*
platessa	fluke	*'flju:k*
polpo	squid/octopus	*'skwid/'ɒktəpəs*
rana pescatrice	angler/frog fish	*'æŋglə/'frɒgfiʃ*
rombo	turbot	*'tɜ:bət*
salmone	salmon	*'sæmən*
sardine	sardines	*sa:di:nz*
scampi	prawns	*'prɔ:nz*
scorfano	scorpion fish	*'skɔ:piənfiʃ*
seppie	cuttlefish	*'kʌtəlfiʃ*
sgombro	mackerel	*'mækrəl*
sogliola	sole	*'səul*
stoccafisso	stockfish	*'stɒkfiʃ*
storione	sturgeon	*'stɜ:dʒən*
tonno	tuna/tunny	*'tju:nə/'tʌni*
triglia	red mullet	*'redmʌlit*
trota	trout	*'traut*

FRITTATE, FOCACCE E TORTINI

Per la preparazione delle Uova si veda sopra Prima colazione.

frittata	omelette	*'ɒmlit*
dolce	sweet omelette	*'swi:t 'ɒmlit*
salata	salted omelette	*'sɔ:ltid 'ɒmlit*
al prosciutto	ham omelette	*'hæm 'ɒmlit*
al formaggio	cheese omelette	*'tʃi:z 'ɒmlit*
agli spinaci	spinach omelette	*'spinidʒ 'ɒmlit*
alle verdure	vegetable o.	*'vedʒitəbəlz 'ɒmlit*
pizza	pizza	*'pi:tsə*
tortino	pie	*'pai*

FORMAGGI

formaggio	cheese	*'tʃi:z*
bovino	cow's milk cheese	*'kauz 'milk 'tʃi:z*
ovino	sheep's milk ch.	*'ʃi:ps 'milk 'tʃi:z*
fresco	fresh cheese	*'freʃ 'tʃi:z*
friabile	crumbly cheese	*'krʌmbli 'tʃi:z*
fuso	melted cheese	*'meltid 'tʃi:z*
grasso	high-fat cheese	*'hai-fæt 'tʃi:z*
magro	low-fat/ fat-free cheese	*'ləu-fæt/ 'fæt-fri: 'tʃi:z*
maturo	ripe cheese	*'raip 'tʃi:z*
piccante	piquant cheese	*'pi:kənt 'tʃi:z*
stagionato	mature cheese	*mətjúə 'tʃi:z*

FRUTTA

frutta	fruit	*'fru:t*
di stagione	seasonable fruit	*'si:znəbəl 'fru:t*
fresca	fresh fruit	*'freʃ 'fru:t*
cotta	cooked/stewed f.	*'kukt/ 'stju:d*
mista	mixed fruit	*'mikst 'fru:t*
secca	dry fruit	*'drai 'fru:t*

3.2 ALIMENTAZIONE

gelatina di frutta	fruit jelly	*'fru:tdʒeli*
macedonia	fruit salad	*'fru:tsæləd*
albicocca	apricot	*'eiprikɒt*
ananas	pineapple	*'painæpəl*
anguria	watermelon	*'wɔ:təmelən*
arancia	orange	*'ɒrindʒ*
banana	banana	*bəná:nə*
castagna	chestnut	*'tʃestnʌt*
ciliegia	cherry	*'tʃeri*
fragola	strawberry	*'strɔ:bəri*
kiwi	kiwi	*'ki:wi*
lampone	raspberry	*'razbəri*
limone	lemon	*'lemən*
mandarino	mandarin	*'mændərin*
mandorla	almond	*'ɒmənd*
melarancia	sweet orange	*'swi:t 'ɒrindʒ*
mela	apple	*'æpəl*
mela cotogna	quince	*'kwins*
noccioline	peanuts	*'pi:nʌts*
nocciole	hazelnuts	*'hæzalnʌts*
noci	walnuts	*'wɔ:lnʌts*
noce di cocco	coconut	*'kəukənʌt*
ribes rosso e nero	red/black currant	*'red/ 'blæk 'kʌrənt*
melone	melon	*'melən*
more	blackberry/ mulberry	*'blækbəri/ 'mʌlbəri*
mirtilli	bilberries	*'bilbəriz*
pera	pear	*'peə*
pesca	peach	*'pi:tʃ*
pesca-noce	nectarine	*'nektərin*
pompelmo	grapefruit	*'greipfru:t*
prugne	prunes	*'pru:nz*
susina	plum	*'plʌm*
uva	grape	*'greip*

uva passa	raisins	*'reizəns*
uvaspina	gooseberry	*'gu:zbəri*

DESSERT

budino	pudding	*'pudiŋ*
crema	custard	*'kəstəd*
chantilly	creme chantilly	*'krem ʃæntilí*
pasticcera	confectioners' cream	*kənfékʃənərz 'kri:m*
dolce	dessert	*dizɜ́:t*
frittelle	fritters	*'fritəz*
gelato	ice cream	*'ais kri:m*
mousse	mousse	*'mu:s*
panna montata	whipped cream	*'hwipt 'kri:m*
pasticcini	pastries/teacakes	*'pæstriz/ 'ti:keiks*
torta	tart	*'ta:t*
di frutta	fruit tart	*'fru:tta:t*
di mele	apple tart	*'æpəlta:t*

Avete un dolce della casa?
Do you make your own dessert?
Può portarci il carrello dei dolci?
Could you bring me the dessert trolley?
Questo dolce è fatto in casa?
Is this dessert made by yourselves?
Con cosa è preparato?
What is this made with?

LIQUORI E CAFFÈ

acquavite	brandy/aquavitae	*'brændi/ ækwə'vi:tai*
brandy	brandy	*'brændi*
cocktail	cocktail	*'kɒkteil*
leggero	light cocktail	*'lait 'kɒkteil*
secco	dry cocktail	*'drai 'kɒkteil*

3.2 ALIMENTAZIONE

cognac	cognac	*'kɒnjæk*
vermut	vermouth	*'vɜ:məθ*
whisky	whisky	*'wiski*
con acqua	w. with water	*wið 'wɔ:tə*
con ghiaccio	w. with ice	*wið 'ais*
con soda	w. with soda	*wið 'səudə*
liscio	neat/straight w.	*'ni:t/ 'streit*

Avete liquori?
Do you have liqueurs?
Per favore, un ... doppio.
A double ... , please.
Vorrei un caffè.
I would like an espresso coffee.

SPUNTINI

Per mangiare un boccone durante visite, gite ed escursioni, in alternativa al ristorante. Per completare il lessico, vedi Bevande, Salse e condimenti, Insalate, Formaggi, Frittate e Prima colazione.

fetta	slice	*'slais*
panino imbottito	filled bread roll	*'fild 'bred 'rəul*
spuntino	snack	*'snæk*
toast	a toasted sandwich	*ə 'təustid 'sændwitʃ*
tramezzino	a sandwich	*ə 'sændwitʃ*

Dove posso fare uno spuntino?
Where can I have a snack?
Vorrei un hot-dog/hamburger.
I would like a hot-dog/hamburger.
Vorrei un panino con ... .
I would like a bread roll with ... .
Vorrei una fetta/porzione/un pezzo di ... .
I would like a slice/portion/piece of ... .

Vorrei un'insalata mista.
I would like a mixed salad.
Che cos'è questo?
What is this?
Può indicarmi gli ingredienti su questa lista?
Can you point to the ingredients on this list?
È piccante?
Is it piquant?
Servite piatti caldi?
Do you serve hot dishes?
Mi può dare un tovagliolino?
Could you bring me a napkin?
Vorrei le posate e un panino.
Could you bring me some cutlery and a bread roll?

CAMBIO DI ORDINAZIONE, COMMENTI E RECLAMI

acido	sour	*'sauə*
aspro	sour/tart	*'sauə/'ta:t*
bruciato	burnt	*'bɜ:nt*
duro	hard/tough/stale	*'ha:d/'tʌf/'steil*
guasto	bad/off	*'bæd/ɒf*
indigesto	indigestible	*indidʒéstəbəl*
insipido	tasteless	*'teistlis*
puzzolente	foul smelling	*'faul'smeliŋ*
reclamo	complaint	*kəmpléint*
raffermo	stale	*'steil*
salato	salted/salty	*'sɔ:ltid/'sɔ:lti*
scotto	burnt/overcooked	*'bɜ:nt/əuvəkúkt*
unto	greasy	*'gri:zi*

Potrei cambiare l'ordinazione?
Could I change my order?
Ho ordinato del ... , non questo.
I ordered ... , not this.

3.2 ALIMENTAZIONE

Ha dimenticato di portare … .
You have forgotten to bring … .
Potrei avere ancora del … ?
May I have some more … ?
Le vostre porzioni sono troppo piccole.
Your portions are rather small.
Avevo chiesto mezza porzione, non una intera.
I ordered a half-portion.
Questo piatto ha uno strano sapore/odore.
This food has a rather strange taste/smell.
Questo cibo è guasto.
I think this food is off.
La minestra è fredda.
The soup is cold.
La pasta è scotta.
The pasta is overcooked.
La carne è dura/puzza.
The meat is tough/off.
L'insalata non è ben lavata.
The salad is not properly washed.
Il pane è raffermo.
The bread is stale.
Mi chiami il direttore/il proprietario.
Will you call the manager/owner for me?

Is it alright for you?
È di suo gradimento?

Questo piatto è ottimo.
This food is very good.
Complimenti allo chef.
Compliments to the chef.

CONTROLLARE E PAGARE IL CONTO

In molti paesi il servizio non è compreso nel conto, pertanto vi suggeriamo di lasciare una mancia al cameriere. Di norma la mancia è del 10-15%: vi consigliamo comunque di informarvi sulle abitudini del posto. Si sta diffondendo l'abitudine di pagare il ristorante con la carta di credito e di indicare su un apposito spazio del conto l'importo della mancia. Per semplicità vi consigliamo però di lasciarla in contanti direttamente al cameriere.
In alcuni paesi è prassi che il cameriere domandi ai clienti che cosa hanno consumato e prepari conti separati.

Mi porta il conto?
Will you bring me the bill, please?

> **Do you want separate bills?**
> Conti separati?

Tutto insieme.
All together.
Che cos'è questa cifra?
What is this amount for?
Il servizio e il coperto sono compresi?
Is cover charge and service included?

> **It's all included.**
> È tutto compreso.

Posso pagare con carta di credito/travellers' cheques?
May I pay by credit card/travellers' cheque?
Credo che ci sia un errore.
I think there is a mistake here.
Non ho ordinato questo.
I didn't order this.
Chiami il direttore.
Please call the manager.

> **Please pay at the cashier.**
> Paghi alla cassa.

3.3 DENARO, POSTA, TELEFONO

CHIEDERE I PREZZI E PAGARE I PROPRI ACQUISTI

Quanto costa?
How much does it cost?
Mi può scrivere il prezzo?
Can you write down the price for me?
Debbo pagare in contanti?
Do I have to pay in cash?
Accetta la carta di credito?
Do you accept credit cards?
Accetta travellers' cheques/Eurocheques?
Do you accept traveller's cheques/Eurocheques?
Posso pagare in euro?
May I pay in euro?
Qual è il cambio?
What is the exchange rate?
Mi può cambiare questa banconota in monete?
Can you please change this note for me?
È un po' caro.
It's rather expensive.
Ha qualcosa di più economico?
Do you have something cheaper?
Mi può fare un po' di sconto?
Can you give me any discount?
Può fare fattura?
Could you give me an invoice?
Posso avere la ricevuta/lo scontrino?
May I have a receipt?

BANCHE E CAMBIAVALUTE

Ricordiamo che per quasi tutte le operazioni bancarie è richiesto un documento di identità.

agenzia	agency	*'eidʒənsi*
banca	bank	*'bæŋk*
cassa	cashier's desk	*kəʃíəz 'desk*
modulo	form	*'fɔ:m*
sportello	counter	*'kauntə*
valuta	foreign currency	*'fɒrən 'kʌrənsi*

Dov'è la banca più vicina?
Where is the nearest bank?
Dov'è un ufficio di cambio/un cambio automatico?
Where is an exchange office/automatic banking machine?
Qual è l'orario delle banche?
What are banking hours?
Qual è il cambio di oggi?
What is the exchange rate today?
Quanto è la commissione?
How much is the commission?
Vorrei cambiare ... euro in ... .
I would like to change ... euro into ... .
Vorrei incassare questo travellers' cheque.
I would like to cash this traveller's cheque.
Vorrei fare un prelievo di ... con la carta di credito.
I would like to make a cash withdrawal of ... on my credit card.
Vorrei fare un versamento sul conto numero ... intestato a ... .
I would like to make a deposit to account number ... in the name of ... .
Vorrei delle banconote da ... [taglio].
I would like ... notes.
Vorrei delle monete da ... .
I would like ... coins.
Aspetto un bonifico da ... .
I am waiting for a money transfer from ... .

3.3 DENARO, POSTA, TELEFONO

AFFRANCARE E SPEDIRE LA POSTA

Per acquistare i francobolli consigliamo di completare l'indirizzo della vostra corrispondenza e mostrarlo all'impiegato che vi calcolerà la corretta affrancatura. In alcuni paesi è possibile acquistare i francobolli anche presso le tabaccherie, i distributori automatici, le edicole, la reception dell'albergo e i venditori di cartoline.

Dove posso comprare dei francobolli?
Where can I buy stamps?
Dov'è l'ufficio postale più vicino?
Where's the nearest post office?
Qual è l'orario degli uffici postali?
What are the post office hours?
Esiste un servizio di posta celere?
Is there a fast/express postal service?
Vorrei un'affrancatura per ... per l'Italia.
I would like stamps for ... to Italy.
... una cartolina/una lettera ...
... a postcard/a letter ...
... via aerea/un espresso ...
... an airmail letter/an express letter ...

The address is incomplete; ... is missing.
L'indirizzo non è completo, manca ...
... the sender ...
... il mittente.
... the postal code ...
... il codice di avviamento postale.
It is overweight by ... grams.
C'è un sovrappeso di ... grammi.

Dov'è la cassetta delle lettere?
Where is the posting box?
Vorrei spedire ...
I want to send ...

... un'assicurata/una raccomandata.
... an insured letter/a registered letter.
... un pacco/un pacco raccomandato.
... a packet/an insured packet.
... un telegramma/un fax/un vaglia.
... a telegram/a fax/a money order.

You must complete this form.
Deve compilare questo modulo.

Quanto tempo impiegherà per arrivare?
How long will it take?

You must complete the customs form.
Deve compilare la dichiarazione doganale.

Dov'è il fermo posta?
Where is the poste restante?
C'è posta per il sig. ... ?
Is there any post for Mr ... ?

USARE I TELEFONI PUBBLICI

Per la ricerca e il funzionamento di un apparecchio pubblico, informazioni su tariffe e elenchi telefonici. Lessico e frasario servono anche per comunicare col centralino dell'albergo (sit. 3.1)

centralino	operator	*'ɒpəreitə*
scatto	unit	*'junit*
tariffa	tariff/rate	*'tærif/ 'reit*
festiva	weekend rate	*'wi:kend*
intera	full rate	*'ful 'reit*
notturna	nightime rate/ reduced rate	*'naitaim 'reit/ ridjú:st 'reit*
telefonata	call	*'kɔ:l*
a carico del destinatario	reverse charges/ collect call	*rivɜ́:s 'tʃa:dʒiz/ kəlékt 'kɔ:l*

intercontinent.	intercontinental c.	*intəkɒntinentəl 'kɔ:l*
internazionale	international call	*intənæʃənəl 'kɔ:l*
intercomunale	long-distance call	*'lɒŋ-distəns 'kɔ:l*
urbana	local call	*'ləukəl 'kɔ:l*

Dov'è un telefono pubblico?
Where is a public telephone?
Come si usa questo telefono?
How does one use this telephone?

> **You must use a ... coin.**
> Deve usare monete da ... .
> **You have to use a phonecard/credit card.**
> Deve usare la scheda telefonica/carta di credito.

Dove posso acquistare una carta/scheda telefonica?
Where can I get a phone-card?
È possibile chiamare l'Italia da questo telefono?
Can I call Italy from this phone?
Qual è il prefisso per l'Italia?
What is the dialling code for Italy?
Quanto costa una telefonata di tre minuti in Italia?
How much does a three minute call to Italy cost?
Ci sono fasce orarie a tariffa ridotta?
Are there hours when the rate is reduced?
Qual è il prefisso di ... ?
What is the prefix for ... ?
Che numero ha questo apparecchio?
What is the number here?
Posso ricevere telefonate da questo apparecchio?
Can I receive calls on this phone?
Ha l'elenco del telefono/pagine gialle di ... ?
Do you have a telephone directory/the yellow pages for ... ?

Per effettuare una telefonata diretta o a carico del destinatario?
To make a direct call or a reverse charges call?
Vorrei chiamare il numero … .
I would like to call the number … .
Vorrei chiamare il numero … a carico del destinatario, da parte del sig … .
I would like to make a reverse charges call to Mr … from … .

> **You can dial direct from this telephone.**
> Può telefonare direttamente da questo apparecchio.
> **You can speak now; I'm putting your call through.**
> Può rispondere, le passo la comunicazione.
> **The line is busy.**
> La linea è sovraccarica.
> **The number is engaged.**
> Il numero è occupato.
> **There is no reply.**
> Non risponde.
> **Please hold on.**
> Attenda in linea.

Non riesco a prendere la linea.
I'm afraid I cannot get a line.
Pronto, vorrei parlare con il sig … .
Hello, may I speak to Mr … ?

> **I will put you through.**
> Le passo l'interno.
> **There is no reply from that extension.**
> L'interno non risponde.

Può dirgli di richiamare il sig. … al numero … ?
Can you ask him to call Mr … on … ?

Il telefono è guasto.
The telephone is out of order.
È caduta la linea.
We were cut off.

INVIARE UN FAX DA UN SERVIZIO PUBBLICO

Da dove posso spedire un fax?
Where can I send a fax from?
Vorrei inviare questo fax al numero … .
I would like to send this fax to the number … .

> **The text is illegible.**
> Il testo è illeggibile.
> **The fax won't go through.**
> Il fax non passa.

Che numero ha questo fax?
What is the fax number here?
Ci sono fax per il sig … ?
Is there a fax for Mr … ?

IGIENE, PULIZIA, CURA DELLA PERSONA

dentifricio	toothpaste	*'tu:θpeist*
igiene	hygiene	*'haidʒi:n*
lavandino	basin	*'beisən*
rubinetto	tap	*'tæp*
salvietta	hand towel	*'hændtauəl*
sapone	soap	*'səup*
sciacquone	flush	*'flʌʃ*
spazzolino da denti	toothbrush	*'tu:θbrʌʃ*
spazzolino da unghie	nailbrush	*'neilbrʌʃ*
spugna	sponge	*'spʌndʒ*

Dov'è il bagno?
Where is the bathroom?
Dov'è la toilette?
Where is the toilet?

The toilet is engaged/occupied.
La toilette è occupata.

Mi può dare ...
Can you give me ... please?
... del sapone/l'asciugamano?
... some soap/a towel ...
... la carta igienica/la chiave del bagno?
... some toilet paper/the bathroom key ...
Il bagno è sporco.
The bath is dirty.

IGIENE E ALIMENTAZIONE DEL NEONATO

bavaglino	bib	*'bib*
biberon	bottle	*'bɒtəl*
omogeneizzato	homogenized	*həmɒdʒinaizd*
pannolino-mutandina	nappy	*'næpi*

succhiotto	dummy	*'dʌmi*
talco	talcum powder	*'tælkəm 'paudə*

COSMETICI ED ESTETISTA

acetone	nail-polish remover	*neil-pɒliʃ rimú:və*
acqua di colonia	cologne	*kələún*
burro di cacao	cocoa butter	*'kəukəu 'bʌtə*
callifugo	corn plaster	*'kɔ:nplæstə*
ceretta a caldo	hot wax depilation	*'hɒt 'wɒks depiléiʃn*
a freddo	wax depilation	*'wæks depiléiʃn*
cipria	face powder	*'feispaudə*
cotone idrofilo	cotton wool	*'kɒtənwu:l*
crema	cream	*'kri:m*
anti acne	acne cream	*'ækni 'kri:m*
da giorno	day cream	*'dei 'kri:m*
da notte	night cream	*'nait 'kri:m*
depilatoria	depilatory cream	*dipílətəuri: 'kri:m*
idratante	moisturiser	*'mɔistʃə*
per pelle secca/ grassa	cream for dry/ oily skin	*fɔ: 'drai/ 'ɔili 'skin*
normale	normal skin	*fɔ: 'nɔ:məl 'skin*
per viso	face cream	*'feis 'kri:m*
per mani	hand cream	*'hænd 'kri:m*
solare	sun cream	*'sʌn 'kri:m*
deodorante	deodorant	*di:əúdərənt*
fondotinta	foundation	*faundéiʃn*
lampada abbronzante	sun lamp	*'sʌnlæmp*
latte detergente	make-up remover	*'meik-ʌp rimú:və*
lima per unghie	nail file	*'neil 'fail*
lozione	cream/lotion	*'kri:m/ 'ləuʃən*
massaggio	massage	*mæsá:ʒ*
matita per occhi	eyebrow pencil	*'aibrau 'pensəl*

olio solare	sun oil	*'sʌnɔil*
ombretto	eye-shadow	*'ai-ʃædəu*
pennello	make-up brush	*'meik-ʌp 'brʌʃ*
pinzette	tweezers	*'twi:zəz*
piumino per cipria	powder puff	*'paudəpʌf*
sali da bagno	bathsalts	*'bæθsɔ:lts*
solvente	nail varnish remover	*'neil 'va:niʃ rimúvə*
spazzola	brush	*'brʌʃ*
specchietto	mirror/make-up mirror	*'mirə/ 'meik-ʌp 'mirə*
tamponi da strucco	make-up removal pads	*'meik-ʌp rimúvəl' pædz*
tonico	skin tonic	*'skin 'tɒnik*

Dove si trova una profumeria/il reparto cosmetici?
Where can I find a chemist/the cosmetics department?
Dove si trova un salone di bellezza/una sauna?
Where can I find a beauty salon/a sauna?
Dove si trova un idromassaggio/un bagno turco?
Where can I find a hydromassage/a steam bath?
Vorrei fissare un appuntamento per le ore ... per fare ...
I'd like to make an appointment for ... to have ... .
... la manicure/la pedicure/la pulizia del viso.
... a manicure/a pedicure/a facial.
... un trucco/una depilazione.
... a make-up session/a depilation.
Posso provare questo rossetto/smalto/profumo?
May I try this lipstick/nail varnish/perfume?
Posso vedere i colori degli smalti/rossetti?
Can I see what nail varnish/lipstick colours you have?
Vorrei un colore più chiaro/scuro.
I want a lighter/darker colour.
Mi metta un trucco leggero.
Could you put a light make-up on for me?

3.4 IGIENE ED ESTETICA

Vorrei un rossetto di questo colore.
I would like a lipstick of this colour.
Mi fa male questo callo.
This corn is hurting me.
Questa ceretta è troppo calda.
The wax is too hot.
C'è molto da attendere?
Will I have to wait long?

DAL PARRUCCHIERE E DAL BARBIERE

baffi	moustache	*məstá:ʃ*
balsamo	balsam/balm	*'bɒlsəm/ 'ba:m*
barba	beard	*'biəd*
basette	sideburns	*'saidbɜ:nz*
bigodini	curlers	*'kɜ:ləz*
capelli	hair	*'heə*
grassi	greasy hair	*'gri:zi 'heə*
normali	normal hair	*'nɔ:məl 'heə*
secchi	dry hair	*'drai 'heə*
lisci	straight hair	*'streit 'heə*
mossi	wavy hair	*'weivi 'heə*
ricci	curly hair	*'kɜ:li 'heə*
crema da barba	shaving cream	*'ʃeiviŋ 'kri:m*
decolorazione	bleach	*'bli:tʃ*
dopobarba	aftershave	*a:ftəʃéiv*
emostatico	styptic	*'stiptik*
forbici	scissors	*'sizəz*
forfora	dandruff	*'dændrʌf*
frangia	fringe	*'frindʒ*
frizione	friction	*'frikʃn*
lametta	razor blade	*'reizəbleid*
ossigenato	peroxided	*pərɒ́ksaidid*
parrucca	wig	*'wig*
pelo	hair	*'heə*

pennello da barba	shaving brush	*'ʃeiviŋ 'brʌʃ*
pettinatura	hairstyle	*'heəstail*
pettine	comb	*'kɒm*
rasatura	shave	*'ʃeiv*
rasoio	razor	*'reizə*
di sicurezza	safety razor	*'seifti reizə*
elettrico	electric razor	*ilèktrik 'reizə*
sapone da barba	shaving soap	*'ʃeiviŋ 'səup*
schiuma da barba	shaving foam	*'ʃeiviŋ 'fəum*

Può indicarmi un parrucchiere da donna/uomo?
Can you tell me where is a hairdresser for women/men?
Vorrei fissare un appuntamento per ... .
I would like to make an appointment for ... .
A che ora posso ritornare?
At what time can I come back?
Vorrei radermi/fare barba e capelli.
I would like a shave/a haircut and shave.
Vorrei fare la messa in piega/la permanente.
I would like a set/a perm.
Vorrei lavare e tagliare/tingere i capelli.
I would like a wash and cut/a colour rinse.
Vorrei spuntare la barba/i capelli.
I would like my beard/hair trimmed.

> **Would you like a hair lotion?**
> Desidera una lozione?

Vorrei i capelli ...
I would like my hair ...
- **... con la sfumatura alta/bassa.**
  ... tapered upwards/downwards.
- **... non troppo corti/scalati.**
  ... not too short/layered.

3.4 IGIENE ED ESTETICA

... un po' più corti/lunghi ...
... a little shorter/longer ...
... davanti/dietro/sui lati/in alto.
... in front/at the back/on the sides/on top.
Mi faccia uno shampoo antiforfora/normale.
Please will you give me a(n) anti-dandruff/normal shampoo?
Mi faccia uno shampoo per capelli grassi/per capelli secchi.
Please use a shampoo for greasy hair/dry hair.

3.5 CULTO

LUOGHI E PRATICHE DI CULTO

Si veda anche Area 5.2, pagina 194.

culto	worship	*'wɜːʃip*

Dov'è ...
Where is ...
... una chiesa cattolica/protestante?
... a Catholic church/a Protestant church?
... una sinagoga/una moschea?
... a synagogue/a mosque?
Qual è l'orario delle funzioni?
At what times are the services?
Vorrei parlare con un sacerdote/con un pastore.
I would like to speak to a priest.
C'è un sacerdote che parli italiano?
Is there a priest who speaks Italian?
Vorrei comunicarmi.
I would like to take communion.
Vorrei confessarmi.
I would like to take confession.
Qual è il santo patrono della città?
Who is the patron saint of the city?

AREA 4. RISOLVERE

Quest'Area – ci auguriamo – è destinata a essere la meno consultata di tutto il prontuario, ma non per questo è stata curata meno delle altre. Anzi, è stata organizzata con particolare attenzione e minuziosamente dettagliata proprio per essere massimamente utile e facilmente consultabile in situazioni in cui, prevedibilmente, il tempo a disposizione per sapere cosa dire e come dirlo è poco, e lo stato d'animo dell'utente potrebbe non essere particolarmente incline alla ricerca dell'espressione più adeguata. Naturalmente, anche in questo caso al frasario di quest'area sono complementari il lessico e le frasi di altre aree (in specie per quanto riguarda i *guasti meccanici* e lo *smarrimento di oggetti*): i rimandi sono effettuati di volta in volta mediante opportune segnalazioni nel corpo del frasario. Nella Situazione 4.4, il lessico della sezione dedicata alla Farmacia contiene ovviamente, per ragioni di pertinenza, anche i nomi di prodotti o preparazioni di carattere principalmente igienico e non strettamente terapeutico, come il collutorio o il collirio.

4.1
EMERGENZE

4.2
FURTI, DANNI, MOLESTIE

4.3
ORIENTAMENTO

4.4
SALUTE E CURE

4.1 EMERGENZE

CALAMITÀ E PERICOLI

Per chiedere (anche per telefono) o dare aiuto in caso di malori, incidenti (compresi quelli automobilistici, cui è dedicato un punto a parte per gli aspetti civili e penali) o situazioni di pericolo. Per integrare il lessico relativo a traumi e danni alla persona, si veda anche susseguentemente la voce Salute.

allarme	alarm	*əlá:m*
annegamento	drowning	*'drauniŋ*
avvelenamento	poisoning	*'pɔizəniŋ*
cadavere	corpse	*'kɔ:ps*
caduta	fall	*'fɔ:l*
congelamento	frostbite	*'frɒstbait*
esplosione	explosion	*iksplə́uʒn*
estintore	extinguisher	*ikstíŋgwiʃə*
ferita	injury	*'indʒəri*
ferito	casualty	*'kæʒuəlti*
grave	severe casualty	*sivíə 'kæʒuəlti*
leggero	slight casualty	*'slait 'kæʒuəlti*
folgorazione	electrical discharge	*iléktrikəl distʃá:dʒ*
frattura	fracture	*'fræktʃə*
fuga di gas	gas leak	*'gæsli:k*
incidente	accident	*'æksidənt*
infarto	heart attack	*'ha:t ətǽk*
investimento	collision	*kəlíʒn*
pronto soccorso	first aid	*'fɜ:st 'eid*
puntura	sting (insetto)	*'stiŋ*
schiacciamento	crushing	*'krʌʃiŋ*
shock	shock	*'ʃɒk*
soffocamento	suffocation	*sʌfəkéiʃn*
trauma	trauma	*'trɔ:mə*
urto	crash	*'kræʃ*
ustione	burn	*'bɜ:n*

Aiuto!	Help!	*'help*
Al fuoco!	Fire!	*'faiə*
È urgente!	It's urgent!	*its 'ɜːdʒənt*
Attenzione!	Watch out!	*'wɔtʃ aut*

Mi può aiutare?
Could you help me, please?
C'è un telefono?
Is there a telephone here?
Qual è il numero dell'ambulanza/della polizia/dei pompieri?
What is the ambulance/the police/the fire brigade telephone number?
C'è qualcuno che parla italiano/inglese?
Is there anybody here who speaks Italian/English?
Ho bisogno di un interprete.
I need an interpreter.
Ho avuto un incidente.
I have just had an accident.
Ho assistito a un incidente.
I have just seen an accident.
Si è verificato un allagamento.
There has been a flood.
Si è verificato un corto circuito/un incendio.
There has been a short circuit/a fire.
Si è verificato un crollo/uno scoppio.
There has been a cave-in/an explosion.

Can you give me the address/the whereabouts?
Può darmi l'indirizzo/le coordinate?

Ci sono feriti gravi.
There are severe casualties.
Non muovetelo/la!
Don't move him/her/it!

4.1 EMERGENZE

Non respira.
He/She isn't breathing.
Sono stato investito.
I have been run over.
Il mio/suo gruppo sanguigno è ... .
My/His/Her blood group is ... .
Portatemi al pronto soccorso.
Take me to the hospital/emergency room.
Chiamate un'ambulanza/un medico.
Please call an ambulance/a doctor.
Chiamate la polizia/i pompieri.
Please call the police/the fire brigade.
Per favore mi dia il suo nome e il suo indirizzo.
Would you give me your name and address, please?

■ CARTELLI E AVVISI DI PERICOLO

Emergency exit.
Uscita d'emergenza.
Fire hydrant.
Bocca antincendio.
Break glass in emergency.
In caso di emergenza rompere il vetro.
In the event of fire, do not use the lift.
Non usare l'ascensore in caso di incendio.
Danger. High tension.
Pericolo. Alta tensione.

GUASTI E RIPARAZIONI AI VEICOLI

Tutto quanto riguarda i rifornimenti, i controlli dei livelli e le piccole riparazioni che si possono effettuare anche da soli o in area di servizio, si trova all'Area 2.2. Il lessico e il frasario di questo punto si riferiscono anche a veicoli a 2 ruote.

autofficina	repair garage	*ripéə 'gæra:dʒ*
carburatorista	carburettor specialist	*ka:bjurétə 'ɛpeʃəlist*
carro attrezzi	breakdown lorry	*'breikdaun 'lɔ:ri*
carrozziere	coach builder	*'kəutʃ bildə*
cavo/gancio di traino	towing cable/ hitch	*'təuiŋ 'keibəl/ 'hitʃ*
elettrauto	car electrician	*'ka: ilektríʃn*
meccanico	mechanic	*mikǽnik*
pezzo di ricambio	spare part	*'speə 'pa:t*
riparazione	repair	*ripéə*

PARTI DELLA CARROZZERIA E TELAIO

avantreno	fore carriage	*'fɔ: kæridʒ*
bagagliaio	boot	*'bu:t*
cavalletto	stand	*'stænd*
cofano	bonnet	*'bɒnit*
deflettore	vent window	*'vent 'windəu*
fari	head lamps	*'hedlæmps*
fendinebbia	fog-guard lamp	*'fɒg-ga:d 'læmp*
finestrino	side window	*'said 'windəu*
indicatori di direzione	indicator lights/ blinkers	*'indikeitə 'laits/ 'bliŋkəz*
luce della targa	registration plate light	*redʒistréiʃn 'pleit 'lait*
di posizione	side light	*'said 'lait*
di retromarcia	reverse light	*rivɜ́:s 'lait*

lunotto	rear window	*'reə 'windəu*
maniglia	handle	*'hændəl*
manopola	knob	*'nɒb*
manubrio	handle bar	*'hændəlba:*
mascherina	grille	*'gril*
parabrezza	windscreen	*'windskri:n*
parafango	wing/mudguard	*'wiŋ/mʌdga:d*
paraurti	bumper	*'bʌmpə*
pianale	platform	*'plætfɔ:m*
retrotreno	rear axle	*'reə 'æksəl*
scocca	chassis	*'tʃæsi*
sellino	saddle	*'sædəl*
serratura	lock	*'lɒk*
spazzole del tergicristalli	windscreen-wipers	*'windskri:n 'waipəz*
specchietto retrovisore	rear view mirror	*'reə 'vju: 'mirə*
sportello	door	*'dɔ:*
stop	stop light	*'stɒp 'lait*
tetto	roof	*'ru:f*

MECCANICA E IMPIANTO ELETTRICO

accensione	starter	*'sta:tə*
albero a camme	camshaft	*'kæmʃa:ft*
albero di trasmissione	transmission shaft	*trænzmíʃn 'ʃa:ft*
alimentazione	power	*'pauə*
alternatore	dynamo	*'dainəməu*
ammortizzatore	shock absorber	*'ʃɒk əbsɔ́:bə*
batteria	battery	*'bætəri*
biella	connecting rod	*kənnéktiŋ 'rɒd*
bronzina	bushing	*'buʃiŋ*
cambio	gear-box	*'giəbɒks*
candela	spark plug	*'spa:k 'plʌg*
carburatore	carburettor	*ka:bjurétə*

catena	chain	*'tʃein*
cerchione	rim	*'rim*
cilindro	cylinder	*'silində*
cinghia	belt	*'belt*
circuito idraulico dei freni	hydraulic brake circuit	*haidrɔ́:lik 'breik 'sɜ:kit*
circuito elettrico	electric circuit	*iléktrik 'sɜ:kit*
collettore	manifold	*'mænifəuld*
collo d'oca	goose-neck	*'gu:z-nek*
cavetto	cable	*'keibəl*
differenziale	differential	*difərénʃəl*
fasce elastiche	rings	*'riŋz*
freni	brakes	*'breiks*
frizione	clutch	*'klʌtʃ*
guarnizione della testata	head gasket	*'hed 'gæskit*
iniettore	injector	*indʒéktə*
iniezione	injection	*indʒékʃn*
lubrificazione	lubrication	*lu:brikéiʃn*
manicotto	coupling	*'kʌpliŋ*
marcia	gear	*'giə*
marmitta	silencer	*'sailənsə*
molla	spring	*'spriŋ*
motore	engine	*'endʒin*
motorino d'avviamento	starting motor	*'sta:tiŋ 'məutə*
pistone	piston	*'pistən*
pneumatico	tyre	*'taiə*
pompa dell'acqua	water pump	*'wɔ:tə 'pʌmp*
del carburante	fuel pump	*'fju:əl 'pʌmp*
dell'olio	oil pump	*'ɔil 'pʌmp*
puntine dello spinterogeno	distributor points	*distribjú:tə 'pɔints*
radiatore	radiator	*'reidieitə*
raffreddamento	cooling	*'ku:liŋ*

ad acqua	water cooling	*'wɔ:tə 'ku:liŋ*
ad aria	air cooling	*'eə 'ku:liŋ*
raggi	spokes	*'spəuks*
retromarcia	reverse gear	*rivɜ́:s 'giə*
ruota	wheel	*'hwi:l*
semiasse	axle shaft	*'æksəl 'ʃa:ft*
serbatoio	tank	*'tæŋk*
servofreno	power brake	*'pauə 'breik*
servosterzo	power steering	*'pauə 'stiəriŋ*
sospensioni	suspension	*səspénʃn*
spinterogeno	battery ignition	*'bætəri igníʃn*
sterzo	steering	*'stiəriŋ*
tappo	plug	*'plʌg*
termostato	thermostat	*'θɜ:məstæt*
testata	head	*'hed*
valvola	valve	*'vælv*
di aspirazione	suction valve	*'sʌkʃn 'vælv*
di scarico	exhaust valve	*igzɔ́:st 'vælv*
vaschetta	reservoir	*'rezəvwa:*
del liquido refrigerante	cooling liquid reservoir	*'ku:liŋ 'likwid 'rezəvwa:*
dell'olio freni	brake fluid r.	*'breik 'likwid r.*
del tergivetro	windscreen washer spray r.	*'windskri:n 'wɔ:ʃə 'sprei 'rezəvwa:*
ventola	fan	*'fæn*
volano	fly wheel	*'flai 'hwi:l*

■ ABITACOLO E COMANDI

acceleratore	accelerator	*əkséləreitə*
antifurto	burglar alarm	*'bɜ:glə əlá:m*
autoradio	car radio	*'ka: 'rædiəu*
chiave di accensione	ignition key	*igníʃn 'ki:*
cintura di sicurezza	seatbelt	*'si:tbelt*

contachilometri	odometer	*əudɒmitə*
contagiri	rev counter	*ˈrevkauntə*
cruscotto	dashboard	*ˈdæʃbɔ:d*
interruttore fari	switch for	*ˈswitʃ fɔ:*
di posizione	side lamps	*ˈsaidˈlæmps*
abbaglianti	s. f. high-beam head lamps	*ˈhaibi:m ˈhedlæmps*
anabbaglianti	s. f. dimmer head lamps	*ˈdimə ˈhedlæmps*
freno a mano	hand brake	*ˈhændˈbreik*
lampeggiatore	hazard flasher	*ˈhæzədˈflæʃə*
lavavetro	windscreen washer	*ˈwindskri:nˈwɔ:ʃə*
leva del cambio	gear lever	*ˈgiəˈlevə*
pedale del freno	brake pedal	*ˈbreikˈpedəl*
– della frizione	clutch pedal	*ˈklʌtʃˈpedəl*
pedale della messa in moto	pedal crank	*ˈpedəlˈkræŋk*
quadro	panel	*ˈpænəl*
spia	warning light	*ˈwɔ:niŋˈlait*
– liv. carburante	fuel gauge	*ˈfjuəlˈgeidʒ*
– temperatura acqua	water temperature gauge	*ˈwɔ:təˈtemprətʃəˈ geidʒ*
– pressione olio	oil pressure gauge	*ˈɔilˈpreʃəˈgeidʒ*
tachimetro	speedometer	*spi:dɒmitə*
volante	steering wheel	*ˈstiəriŋˈhwi:l*

Dove si trova un'autofficina/una carrozzeria?
Where can I find a repair garage/a coach builder?
Dove si trova un elettrauto/un gommaio?
Where can I find a car electrician/a tyre repairer?
Qual è il numero del soccorso stradale?
What is the road assistance number, please?
Ho bisogno di un carro-attrezzi.
I need a breakdown lorry.

4.1 EMERGENZE

La macchina si trova al Km ... dell'autostrada ... .
The car is at Mile/Kilometre ... on the ... motor way.
La mia macchina non parte.
My car won't start.
Sono rimasto senza benzina.
I have run out of fuel.
Esce fumo dal motore.
Smoke is coming out of the engine.
Il motore batte in testa/ha dei ritorni di fiamma.
The engine is pinking/is back-firing.
Il motore scoppietta/va a singhiozzo.
The engine is chugging/proceeds in stops and starts.
Il motore surriscalda/fa uno strano rumore.
The engine gets overheated/is making a strange noise.
Non funzionano i freni.
The brakes are not working.
Il serbatoio/radiatore perde.
The tank/radiator is leaking.
Si accende la spia dell'acqua/dell'olio.
The water/oil gauge warning light keeps coming on.
Ho una gomma a terra.
I have a flat tyre.
Non si apre il bagagliaio/cofano/finestrino/lo sportello.
The boot/bonnet/window/door won't open.
    Gli abbaglianti/gli anabbaglianti ...
    The main beam/dimmer head lamps ...
    Gli stop/le frecce ...
    The stop/indicator lights ...
    I tergicristalli/i fendinebbia ...
    The windscreen wipers/The fog guard lamps ...
... non funzionano.
... don't work.
La frizione è dura/slitta.
The clutch is stiff/slips.

DIAGNOSI DEL MECCANICO

The tappet/stroke/idling speed ...
Le punterie/la fase/il minimo ...
The clutch clearance ...
Il gioco della frizione ...
The belt tension ...
La tensione delle cinghie ...
... needs adjusting.
... è da regolare.
Come back in a quarter of/half an hour.
Torni fra un quarto d'ora/mezz'ora.
The hand-brake cable/The brake shoe ...
Il cavo del freno a mano/le ganasce dei freni ...
The gear oil ...
L'olio del cambio ...
The steering box ...
La scatola dello sterzo. ...
... needs changing.
... è da cambiare.
The clutch/gear case will have to be disassembled.
Bisogna smontare la frizione/la scatola del cambio.
I'll have to replace ...
Debbo sostituire ...
... the battery/the spark plugs/the points.
... la batteria/le candele/le puntine.
... the braking gaskets.
... le guarnizioni dei freni.
The carburettor needs cleaning.
Debbo pulire il carburatore.
The clutch disc/The starting motor ...
Il disco della frizione/il motorino d'avviamento ...
The water pump/petrol pump ...
La pompa dell'acqua/della benzina ...

4.1 EMERGENZE

A bearing/A piston ...
Un cuscinetto/un pistone ...
... has got stuck.
... si è bloccato/a .
The alternator/head gasket ...
L'alternatore/guarnizione della testata ...
A fuse/A valve ...
Un fusibile/una valvola ...
... has burnt out.
... si è bruciato/a .
The thermostat ...
Il termostato ...
The battery ignition plug ...
La calotta dello spinterogeno ...
The fan belt ...
La cinghia del ventilatore ...
The accelerator/clutch cable ...
La corda dell'acceleratore/della frizione ...
... has broken.
... si è rotto/a .
The cylinder block ...
Il monoblocco ...
The oil sump/A coupling ...
La coppa dell'olio/un giunto ...
... has split.
... si è spaccato/a.
The steering column/chassis ...
Il piantone dello sterzo/il telaio ...
The transmission shaft/The head ...
L'albero di trasmissione/la testata. ...
... is bent.
... si è storto/a.
The rings are worn.
Le fasce elastiche sono usurate.

Mi può fare un preventivo della spesa?
Could you give me an estimate of the cost, please?
Avete ricambi originali?
Do you keep original spare parts?

> **We don't have the relevant spare part.**
> Non abbiamo il pezzo di ricambio.

Può fare questa riparazione?
Could you make this repair, please?
Può indicarmi qualcuno che la possa fare?
Can you tell me who could do it?
Può aggiustarla per farmi arrivare fino a … ?
Could you fix it so that I can at least get to … ?

> **No, I'm afraid your car isn't serviceable.**
> No, la sua auto non può marciare.

Quanto tempo ci vuole per ripararla?
How long will it take to repair?
Posso avere una fattura dettagliata?
Can I have a detailed invoice, please?

INCIDENTI STRADALI

In caso di incidenti stradali con feriti, per chiamare un'ambulanza o un medico, vedi Calamità e pericoli (precedente) e Salute. Per il frasario relativo alle infrazioni al codice della strada, si veda anche l'area 2.2 (Circolazione e traffico).

eccesso di velocità	overspeeding	*əuvəspí:diŋ*
linea	line	*'lain*
continua	continuous line	*kəntínjuəs 'lain*
tratteggiata	broken line	*'brəukən 'lain*
precedenza	priority	*praiɒ́riti*
scontro	crash	*'kræʃ*
frontale	head-on crash	*'hed-ɒn 'kræʃ*

4.1 EMERGENZE

laterale	sideways-on c.	*'saidweiz-ɒn 'kræʃ*
sorpasso	overtaking	*'əuvəteikiŋ*
tamponamento	collision	*kəlíʒn*

Sta/state bene?
Are you all right?
Dobbiamo mettere il triangolo.
We must put out the red warning triangle.
Vado/a a chiamare la polizia.
I'll go and get the police.
Pronto, polizia. C'è stato un incidente ...
Hallo, the police, please. There has been an accident ...

... in via/piazza ... angolo via. ... .
... in ... Street/Square, on the corner with ... Street.
... sulla strada da ... a ... al km ... .
... on the road from ... to ... at mile number ... .
... sull'autostrada n. ... al km ... .
... on Motor way number ... at mile number ... .

Do not move the cars until we get there.
Non spostate le macchine fino al nostro arrivo.
Are there any casualties?
Ci sono feriti?

Sì, c'è un ferito leggero/grave.
Yes, there is one slight/severe casualty.
Sì, ci sono dei feriti.
Yes, there are casualties.
No, nessun ferito.
No, there is no casualty.
Qualcuno ha veduto come si è svolto l'incidente?
Did anyone see how the accident happened?
Lei è disponibile a testimoniare?
Are you willing to testify?

Posso avere il suo nome e il suo indirizzo?
May I have your name and address, please?
La responsabilità è sua.
It's your/his/her fault.
Procedevo regolarmente per la mia strada.
I was proceeding in a normal way.
Aveva i fari spenti.
His/Her/Its lights were off.
È passato con il rosso.
He/She/It crossed on a red light.
È uscito dal parcheggio senza guardare.
He came out of the parking lot without looking.
Sorpassando ha invaso la mia carreggiata.
He encroached upon my lane when overtaking.
Ha svoltato a sinistra/a destra senza mettere la freccia.
He turned left/right without giving any warning.
Non ha rispettato la distanza di sicurezza.
He was not keeping a safe distance.
Non mi ha dato la precedenza.
He did not give me priority.
Sono spiacente, la responsabilità è mia.
I am sorry. It was my fault.
Le scrivo i miei dati e i dati dell'assicurazione.
I'll write down my particulars and those of my insurance.
Posso vedere la sua patente/assicurazione?
May I see your driving licence/insurance, please?
Qual è il suo numero di targa?
What is your registration plate number?
Lei stava guidando in stato di ubriachezza.
You were driving under the effects of alcohol.
Stavo andando piano.
I was proceeding slowly.
Ho dei testimoni.
I have witnesses.

4.1 EMERGENZE

IN CASO DI SMARRIMENTO DI PERSONE

Per lo smarrimento o furto di documenti, biglietti, carta di credito, traveller's cheques, borse, valigie ecc. vedere Furti Area 4.2 e Aeroporto Area 2.1.

Il mio nome è … .
My name is … .
Ho perduto … , può fare un annuncio con l'altoparlante?
I have lost … . Could you make an announcement over the loudspeaker, please?
 … mio figlio/mio marito/la mia famiglia …
 … my son/my husband/my family …
 … il mio gruppo/la mia guida …
 … my group/my guide …
Mio figlio si è perso. È un bambino di … anni, è vestito con … .
My son has got lost. He is a child of … years, dressed in … .
Mi può chiamare il Sig. … con l'altoparlante?
Could you call Mr. … over the loudspeaker, please?

FURTI E SCIPPI

In previsione di eventuali furti o smarrimenti, vi consigliamo di portare con voi i numeri dei documenti in fotocopia o trascritti su un foglietto, mentre per il furto o smarrimento di borse o valigie vi consigliamo di prepararvi la descrizione delle stesse e del contenuto. In caso di difficoltà vi consigliamo l'assistenza di un interprete.

Aiuto! Al ladro!
Help! Stop the thief!
Chiamate la polizia!
Call the police!
Dov'è il consolato italiano?
Where is the Italian consulate, please?
Dov'è l'ufficio oggetti smarriti?
Where is the lost property office, please?
Dov'è la stazione di polizia?
Where is the police station, please?
Ho bisogno di un interprete/avvocato.
I need an interpreter/lawyer.
Voglio denunciare il furto/lo smarrimento ...
I'd like to report the theft/loss ...

... dei documenti/del passaporto.
... of (my) papers/(my) passport.
... dei travellers' cheques/della/e carta/e di credito.
... of (my) traveller's cheques/(my) credit card/s.
... del biglietto aereo.
... of (my) plane ticket.
... del mio bagaglio.
... of my luggage.
... del portafoglio/della borsa.
... of (my) wallet/(my) bag.

Sono stato scippato.
I have been mugged.

4.2 FURTI, DANNI, MOLESTIE

Did you have any money/jewels/valuables on you?
Aveva denaro/preziosi/oggetti di valore?
Are there any witnesses?
Ci sono testimoni?
How many of them were there?
In quanti erano?
Where was the object when it was stolen/lost?
Dove aveva l'oggetto?

Lo avevo in borsa/in macchina.
I had it in my bag/in the car.
Lo avevo in mano/in tasca.
I had it in my hand/in my pocket.

Please describe the stolen/lost object.
Mi descriva l'oggetto rubato/smarrito.
Would you be able to describe/recognize the thief?
Saprebbe descrivere/riconoscere il ladro?

Mi hanno rubato la macchina, era parcheggiata in ... .
My car has been stolen. It was parked in ... .
Hanno rotto il finestrino dell'auto e mi hanno rubato ... .
The car window was broken and my ... stolen.

Where did the theft take place?
Dov'è avvenuto il furto?

Il furto è avvenuto in ... .
The theft took place in ... .

Do you want to make a statement?
Vuole sporgere denuncia?

DANNI ALLE COSE

In caso che subiate o provochiate danni a cose (macchiare un vestito, rompere un oggetto ecc.).

assicurazione	insurance	*inʃúərəns*
danno	damage	*'dæmidʒ*
indennizzo	compensation	*kɒmpenséiʃn*
perdita	loss	*'lɔs*
riparazione	repair	*ripéə*
risarcimento	refund	*rifʌnd*

Lei mi ha rotto … .
You have broken my … .
Lei mi ha macchiato … .
You have stained my … .
Lei mi deve risarcire.
I must insist on you compensating me.
Mi lasci il suo nome e indirizzo.
Please give me your name and address.
Le manderò la fattura a casa.
I will forward the invoice to your home address.
Lei è assicurato?
Are you insured?
Non l'ho fatto apposta.
I did not do it on purpose.
Non l'avevo vista.
I did not see you.
Dove posso far riparare. … ?
Where can I get … repaired?

4.2 FURTI, DANNI, MOLESTIE

Se vi capita di urtare e danneggiare un'auto in sosta, in assenza del proprietario, potete lasciare questo biglietto firmato:

Ho urtato la sua auto, mi chiami al numero. … .
I have bumped into your car. Please call me at number … .

AGGRESSIONI E MOLESTIE

In caso di difficoltà vi consigliamo l'assistenza di un interprete.

Mi lasci in pace!
Leave me alone!
Se ne vada o chiamo la polizia!
Go away, or I'll call the police!
Smetta di seguirmi o chiamo la polizia!
Stop following me, or I'll call the police!
Aiuto, c'è un uomo che mi sta seguendo!
Help! There's a man following me!
Aiuto, c'è un uomo che mi molesta!
Help! There's a man bothering me!
Vorrei denunciare un'aggressione.
I'd like to report a case of assault.
Vorrei denunciare un tentativo di violenza.
I'd like to report a case of attempted rape.

Where did it happen?
Dove è accaduto?
How many of them were there?
Quanti erano?
Would you be able to recognize him/them?
Saprebbe riconoscerlo/i?
Were there any witnesses?
C'erano testimoni?

ORIENTARSI IN CITTÀ E NELLE LOCALITÀ VISITATE

Il lessico e il frasario servono per chiedere informazioni stradali all'interno di città, villaggi e località che si stanno visitando, sia andando a piedi che in macchina. La richiesta di informazioni su tragitti di più ampie proporzioni si trova nell'Area 2.2 (Automobile).

attraversamento	crossing	*'krɒsiŋ*
cavalcavia	fly over	*'flai'əuvə*
curva	bend	*'bend*
incrocio	crossroads	*'krɒsrəudz*
insegna luminosa	illuminated sign	*'ilu:mineitid'sain*
isolato	block	*'blɒk*
numero (civico)	street number	*'stri:t'nʌmbə*
passaggio pedonale	pedestrian crossing	*pidéstriən 'krɒsiŋ*
rotatoria	roundabout	*'raundəbaut*
semaforo	traffic light	*'træfik'lait*
sottopassaggio	subway	*'sʌbwei*
tunnel	tunnel	*'tʌnəl*

Dov'è via ... ?
Can you tell me where ... Street is, please?

Straight on.
Sempre a diritto.
Turn right/left at the ... crossroads/traffic lights.
Giri a destra/sinistra al ... incrocio/semaforo.
It is ... blocks away from here.
È a ... isolati da qui.
Keep straight on till you get to ... and ask again.
Continui a diritto fino all'inizio di ... , e lì domandi di nuovo.
It is at the bottom of the road.
È in fondo alla strada.
Have you got a street plan?
Ha una cartina?

4.3 ORIENTAMENTO

Mi può indicare sulla cartina dov'è via ... ?
Can you show me where ... Road is on the map, please?
Debbo andare in via ... . Può farmi uno schizzo del percorso?
I have to go to ... Street. Could you make a sketch of the route, please?
Mi può scrivere l'indirizzo?
Could you write down the address, please?
In che zona della città siamo?
Which district of the city/town are we in?
Come faccio a tornare in centro?
Can you tell me how to get back into the centre, please?

> **You'll have to turn back.**
> Deve tornare indietro.

Qual è la strada più breve per andare a ... ?
What is the shortest way to ... , please?
È possibile andare a piedi a ... ?
Can one go on foot to ... ?

> **It is a very long way. You can't go on foot.**
> È molto lontano, non può andare a piedi.

È possibile andare in macchina/autobus a ... ?
Can one get to ... by car/bus?

> **It is a pedestrian precinct. Cars are not permitted.**
> È zona pedonale, non può arrivarci in macchina.

Quanto dista via ... ?
Can you tell me how far away ... Street is?
È questa la direzione giusta per ... ?
Am I going in the right direction for ... ?
Dove posso comprare una cartina della città/dei mezzi di trasporto?
Can you tell me where I can buy a plan of the town(city)/public transport?

Attenzione: se si è allergici a qualche farmaco o trattamento, sarà bene impararsene il nome prima di doverne fare eventualmente uso, in modo da comunicarlo tempestivamente al medico che vi stesse curando, senza perdere tempo a cercarlo in un frangente non propriamente adatto alla consultazione del glossario.

MALATTIE E SINTOMI

acidità (*stomaco*)	heartburn	*'ha:tbɜ:n*
anemia	anaemia	*əní:miə*
appendicite	appendicitis	*əpendisáitis*
artrite	arthritis	*a:θráitis*
asma	asthma	*'æsmə*
bronchite	bronchitis	*brɒŋkáitis*
bruciore	smarting (occhi)	*'sma:tiŋ*
cardiopatia	cardiopathy	*ka:diòupæθi:*
catarro	catarrh	*kətá:*
cistite	cystitis	*sistáitis*
colica di reni	kidney colic	*'kidni 'kɒlik*
colica di fegato	hepatic colic	*hipǽtik 'kɒlik*
colite	colitis	*kəláitis*
collasso	collapse	*kəlǽps*
coma	coma	*'kəuma*
congelamento	frost-bite	*'frɒstbait*
congestione	congestion	*kəndʒéstʃn*
congiuntivite	conjunctivitis	*kəndʒʌŋktivaitis*
crampo	cramp	*'kræmp*
diabete	diabetes	*daiəbí:tis*
difterite	diphtheria	*difθíri:ə*
dissenteria	dysentery	*'disəntəri*
dolori mestruali	period pains	*'piriəd 'peinz*
ematoma	haematoma	*hi:mətəúmə*
emicrania	migraine	*'mi:grein*
emorragia	haemorrhage	*'heməridʒ*

4.4 SALUTE E CURE

emorragia cerebrale	cerebral haemorrhage	*'seribrəl 'hemərid3*
epatite	hepatitis	*hepətáitis*
erpes	herpes	*'hɜ:pi:z*
febbre	fever/temperature	*'fi:və/'temprətʃ*
gastrite	gastritis	*gæstráitis*
gotta	gout	*'gaut*
ictus	ictus	*'iktəs*
infarto	heart attack	*'ha:t ətǽk*
infezione	infection	*infékʃn*
intossicazione	intoxication	*intɒ́ksikeiʃn*
itterizia	jaundice	*'dʒɔ:ndis*
laringite	laryngitis	*lærindʒáitis*
leucemia	leukemia	*lu:kí:miə*
lombaggine	lumbago	*lʌmbéigəu*
mal d'auto	car sickness	*'ka:'siknis*
mal di montagna	mountain sickness	*'mauntin'siknis*
male	ache	*'eik*
di denti	tooth ache	*'tu:θeik*
di gola	sore throat	*'sɔ: θrəut*
d'orecchi	ear ache	*'iəeik*
di pancia	tummy ache	*'tʌmieik*
di stomaco	stomach ache	*'stʌməkeik*
di testa	headache	*'hedeik*
malaria	malaria	*məléəriə*
malessere	malaise	*məléiz*
nefrite	nephritis	*nifráitis*
nevralgia	neuralgia	*njuərǽldʒə*
otite	otitis	*ətáitis*
palpitazioni	palpitations	*pælpitéiʃn*
paralisi	paralysis	*pərǽlisis*
peritonite	peritonitis	*peritənáitis*
pleurite	pleurisy	*'pləurisi*
polmonite	pneumonia	*nju:məúniə*
pressione alta	high blood pressure	*'hai'blʌd'preʃə*

bassa	low b.p.	*'ləu 'blʌd 'preʃə*
reumatismo	rheumatism	*'ru:mətizm*
sciatica	sciatica	*saiǽtikə*
soffocamento	suffocation	*sʌfəkéiʃn*
starnuto	sneezing	*'sni:ziŋ*
stitichezza	constipation	*kɒnstipéiʃn*
svenimento	fainting	*'feintiŋ*
tenia	taenia	*'ti:niə*
tetano	tetanus	*'tetənəs*
tonsillite	tonsillitis	*tɒnsiláitis*
tosse	cough	*'kɔ:f*
trombosi	thrombosis	*θrɒmbə́usis*
tumore	tumour	*'tju:mə*
ulcera	ulcer	*'ʌlsə*
vertigini	vertigo	*'vɜ:tigəu*

MALATTIE CONTAGIOSE E VIRALI

AIDS	AIDS	*'eidz*
colera	cholera	*'kɒlərə*
difterite	diphtheria	*difθíri:ə*
epatite virale	viral hepatitis	*'vaiərəl hepətáitis*
malattie veneree	venereal diseases	*viníərəl dizí:zəz*
meningite	meningitis	*menindʒáitis*
morbillo	measles	*'mi:zəlz*
orecchioni	mumps	*'mʌmps*
parotite	parotitis	*pærətáitis*
rosolia	German measles	*'dʒɜ:mən 'mi:zəlz*
scarlattina	scarlet fever	*'ska:lit 'fi:və*
tifo	typhus	*'taifəs*
tubercolosi	tuberculosis	*tjubɜ:kjulə́usis*
vaiolo	smallpox	*'smɔ:lpɒks*
varicella	chickenpox	*'tʃikənpɒks*

4.4 SALUTE E CURE

TRAUMI

abrasione	abrasion	*əbréiʒn*
commozione cerebrale	concussion of the brain	*kənkʌ́ʃn ɒv θə 'brein*
contusione	bruise	*'bru:z*
distorsione	sprain	*'sprein*
ematoma	haematoma	*hi:mətə́umə*
escoriazione	excoriation	*ekskɔ:riéʃn*
ferita	injury	*'indʒəri*
frattura	fracture	*'fræktʃə*
folgorazione	electric burn	*iléktrik 'bɜ:n*
insolazione	sunstroke	*'sʌnstrəuk*
lesione	lesion	*'li:ʒn*
lussazione	dislocation	*disləkéiʃn*
morsicatura	bite	*'bait*
puntura d'insetto	insect sting	*'insekt 'stiŋ*
shock	shock	*'ʃɒk*
taglio	cut	*'kʌt*
ustione	burn	*'bɜ:n*
versamento	effusion	*ifjú:ʒn*

PARTI DEL CORPO

appendice	appendix	*əpéndiks*
arteria	artery	*'a:təri*
articolazione	articulation	*a:tikjuléiʃn*
ascella	armpit	*'a:mpit*
bacino	pelvis	*'pelvis*
bocca	mouth	*'mauθ*
braccio	arm	*'a:m*
bronchi	bronchi	*'brɒnkai*
caviglia	ankle	*'ænkəl*
clavicola	collar bone	*'kɒlə 'bəun*
collo	neck	*'nek*

colonna vertebrale	vertebral column	*'vɜ:tibrəl 'kɒləm*
coscia	thigh	*'θai*
costola	rib	*'rib*
cranio	skull	*'skʌl*
cuore	heart	*'ha:t*
dito (del piede)	toe	*'təu*
dito (della mano)	finger	*'fiŋgə*
esofago	oesophagus	*i:sɒ́fəgəs*
faringe	pharynx	*'færiŋks*
fegato	liver	*'livə*
femore	femur	*'fi:mə*
fianco	side/hip	*'said/ 'hip*
gamba	leg	*'leg*
ghiandola	gland	*'glænd*
ginocchio	knee	*'ni:*
gola	throat	*'θrəut*
gomito	elbow	*'elbəu*
intestino	intestine	*intéstin*
labbro	lip	*'lip*
laringe	larynx	*'læriŋks*
lingua	tongue	*'tʌŋ*
mano	hand	*'hænd*
mascella	jaw	*'dʒɔ:*
mento	chin	*'tʃin*
milza	spleen	*'spli:n*
muscolo	muscle	*'mʌsəl*
narice	nostril	*'nɒstril*
naso	nose	*'nəuz*
nervo	nerve	*'nɜ:v*
orecchio	ear	*'iə*
organi genitali	genital organs	*'dʒenitəl 'ɔ:gənz*
osso	bone	*'bəun*
ovaia	ovary	*'əuvəri*
palato	palate	*'pælət*

4.4 SALUTE E CURE

pancia	belly/tummy	*'beli/ 'tʌmi*
pelle	skin	*'skin*
pene	penis	*'pi:nis*
perone	fibula	*'fibjələ*
petto	chest	*'tʃest*
piede	foot	*'fu:t*
polmone	lung	*'lʌŋ*
polso	pulse	*'pʌls*
rene	kidney	*'kidni*
sangue	blood	*'blʌd*
schiena	back	*'bæk*
seno	breast	*'brest*
spalla	shoulder	*'ʃəuldə*
stomaco	stomach	*'stʌmək*
tendine	tendon	*'tendən*
testa	head	*'hed*
tibia	tibia	*'tibiə*
tonsilla	tonsil	*'tɒnsil*
utero	womb	*'wu:m*
vagina	vagina	*vədʒáinə*
vena	vein	*'vein*
vertebra	vertebra	*'vɜ:tibrə*
vescica	bladder	*'blædə*

RICHIESTA DI ASSISTENZA

Mi sento male.
I feel ill.
Ho bisogno di un medico.
I need a doctor.
Vorrei chiamare un pediatra.
I'd like to call a paediatrician.
C'è un medico in albergo/nel campeggio?
Is there a doctor in the hotel/camping site?
Si può trovare un medico che parli italiano?
Would it be possible to have an Italian-speaking doctor?
Il medico può venire a visitare qui?
Can the doctor come visiting here?
Chiamate un'ambulanza.
Please call an ambulance.
Dov'è l'ambulatorio?
Where is the surgery?
Dov'è un ospedale?
Where is a hospital?
Dov'è un pronto soccorso?
Where is a first-aid station/Emergency room?

4.4 SALUTE E CURE

NEL CORSO DELLA VISITA

Le frasi possono riferirsi a se stessi oppure ad altri ammalati, incapaci di spiegarsi, ad esempio un bambino.

Ho/ha ... di febbre da ... ore.
I have/He/She has had a temperature for ... hours.
Ho/ha mangiato/bevuto qualcosa che mi/gli/le ha fatto male.
I have/He/She has eaten/drunk something which has made me/him/her ill.

> **What have you eaten/drunk?**
> Che cosa ha mangiato/bevuto?
> **Lie down here.**
> Si stenda qui.
> **Get undressed.**
> Si spogli.
> **What do you feel?**
> Che cosa si sente?

Avverto un malessere generale.
I have a general sense of malaise.
Mi gira la testa.
My head is spinning.
Mi sento debole.
I feel weak.
Ho/ha ...
I have/He/She has ...

> **... i brividi/i crampi.**
> ... got the shivers/the cramps.
> **... il raffreddore/l'influenza.**
> ... got a cold/the flu.
> **... l'indigestione/la diarrea/la nausea.**
> ... got indigestion/diarrhea/nausea.
> **... le emorroidi/un forte prurito.**
> ... got haemorrhoids/a nasty itch.

... un'ernia/un ascesso.
... got a hernia/an abscess.
... vomitato.
... vomited.

Mi è venuto/a ...
I have developed ...
... uno sfogo/un gonfiore.
... a spot/a swelling.
... un'eruzione/un eczema.
... a rash/an eczema.
... un'irritazione/un'infiammazione.
... an irritation/an inflammation.

Where does it hurt?
Dove sente male?

Dappertutto.
All over.
Le articolazioni/le braccia/le gambe ...
My joints/arms/legs ...
La testa/gli occhi...
My head/eyes ...
I denti ...
My teeth ...
La pancia/lo stomaco...
My tummy/stomach ...
... mi fa/fanno male.
... ache/aches.

Le orecchie/la gola mi fanno/fa male.
My ears are/throat is sore.

Mi fa male la schiena/il petto.
My back/chest hurts.

What kind of pain is it?
Che genere di dolore è?

4.4 SALUTE E CURE

È un dolore ...
It is ... pain.

... acuto/sordo/molto forte.
... a sharp/a dull/a throbbing ...
... intermittente/persistente.
... an intermittent/a persistent ...

How long has it/have they been hurting?
Da quanto tempo avverte il dolore?
Does it hurt here?
Le fa male qui?
Have you already taken any medicine?
Ha già preso delle medicine?
Open your mouth.
Apra la bocca.
I'll have to examine you with the stethoscope.
La devo auscultare.
Take a deep breath.
Respiri profondamente.
Cough.
Tossisca.
Turn over/round.
Si giri.
I'll take your blood pressure.
Le misurerò la pressione.

È contagioso?
Is it contagious?
È grave?
Is it serious?
Può indicarmi il nome della malattia su questa lista?
Would you point to the name of the illness on this list, please?

Don't worry. It's nothing serious.
Non si preoccupi, non è niente di grave.

Soffro/e di … .
I suffer/He/She suffers from … .
Sono/È allergico a … .
I am/He/She is allergic to … .
Sono/È diabetico.
I am/He/She is a diabetic.

What is the dose of insulin you/he/she usually take/s?
Qual è la sua dose normale di insulina?
Orally or by intravenous injection?
Per via orale o endovenosa?
Sono incinta di … mesi.
I am … months pregnant.
Take this … times a day for … days before/during/after meals.
Prenda questo … volte al giorno per … giorni prima/durante/dopo i pasti.
I'll prescribe an antibiotic for you.
Le prescriverò un antibiotico.
I'll write a prescription for the chemist.
Le faccio una ricetta per andare in farmacia.
Stay in bed until the fever has gone down.
Rimanga a letto fino a quando non sarà passata la febbre.
You need a specialist doctor.
Lei ha bisogno di uno specialista.
Fast for … days.
Stia a digiuno per … giorni.
Keep your diet light/Keep off heavily-seasoned foods.
Mangi leggero/in bianco.
You'll have to have an enema.
Deve fare un enteroclisma.
Do not go outside.
Non esca.
You'll have to do a test on your blood/urine/faeces.
Deve sottoporsi a un prelievo del sangue/dell'urina/delle feci.

4.4 SALUTE E CURE

I must give you an ... (1) injection ... (2).
Debbo farle un'iniezione ...
... (1) antibiotic/anti tetanus ...
... di antibiotico/antitetanica.
... (2) to ease the pain.
... calmante contro il dolore.
You'll have to stay in hospital for a little.
Devo ricoverarla in ospedale.

Potrebbe avvertire la mia famiglia?
Could you inform my family, please?
Posso continuare il viaggio?
Can I continue on my journey?

MEDICI SPECIALISTI

dentista	dentist	*'dentist*
ginecologo	gynaecologist	*gainikɒlədʒist*
oculista	optician	*ɒptíʃn*
otorino-laringoiatra	ear, nose and throat specialist	*iə'nəuz ənd 'θrəut'speʃəlist*
ortopedico	orthopaedist	*ɔ:θəpí:dist*
pediatra	paediatrician	*pi:diətríʃn*
psichiatra	psychiatrist	*saikáiətrist*
psicologo	psychologist	*saikɒ́ləgist*
veterinario	veterinary surgeon	*'vetərinəri 'sɜ:dʒən*

IN CASO DI STATI ANSIOSI E SIMILI

Mi sento molto agitato.
I feel very agitated.
Ho crisi di ansia.
I suffer from bouts of anxiety.
Non riesco a dormire.
I can't sleep.
Ho insonnia e disappetenza.
I suffer from insomnia and a poor appetite.
Mi sento depresso.
I feel depressed.
Può prescrivermi ...
Can you prescribe ... for me, please?
... un sonnifero/un sedativo?
... a sleeping pill/a sedative ...
... un ansiolitico/un tranquillante?
... an anxiolytic/a tranquillizer ...

Have you already taken any medicament?
Ha già preso medicinali?
Are you already being treated for these symptoms?
Lei è in cura per questi sintomi?
Do you already have any drugs which you usually take?
Usa già un medicinale abituale?

Può farmi una ricetta per questo medicinale?
Could you write me out a prescription for this medicine?

That one is not available here. I'll prescribe an equivalent medicine.
Questo non esiste da noi, le prescrivo un equivalente.

4.4 SALUTE E CURE

DAL DENTISTA E DALL'ODONTOTECNICO

canino	canine tooth	*'keinain 'tu:θ*
carie	decay	*dikéi*
dente del giudizio	wisdom tooth	*'wizdəm 'tu:θ*
estrazione	extraction	*ikstrǽkʃn*
gengiva	gum	*'gʌm*
incisivo	incisor	*insáizə*
molare	molar	*'məulə*
premolare	premolar	*pri:máulə*

Mi può consigliare un dentista?
Could you recommend a dentist?
Vorrei prendere un appuntamento con il dottor ... .
I'd like to make an appointment with Doctor ... , please.

When for?
Per quando?

Prima possibile. È urgente.
As soon as possible, please. It's urgent.
Ho un forte mal di denti.
I have terrible toothache.
Mi fa male questo dente.
This tooth hurts.
Ho un ascesso.
I've got an abscess.
Mi si è rotta un'otturazione.
One of my fillings has come out.
Mi si è rotto un dente.
I have broken a tooth.
Mi può dare qualcosa contro il dolore?
Can you give me something for the pain?

Keep your mouth wide open.
Tenga la bocca ben aperta.

The tooth is decayed.
Il dente è cariato.
You have got an abscess.
Lei ha un ascesso.
Your tooth must be ...
Il suo dente va ...
... filled/rebuilt.
... otturato/ricostruito.
... taken out/devitalized.
... tolto/devitalizzato.

Può fare un lavoro provvisorio?
Can you deal with it temporarily?

I must extract the tooth.
Le devo estrarre il dente.
I must drill the tooth.
Le devo trapanare il dente.
I'll give you a local anaesthetic.
Le faccio un'anestesia locale.
It will hurt for a few seconds.
Le farò male per pochi secondi.

Mi si è rotta/o ...
I have broken my ...
... l'apparecchio.
... dental plate.
... la capsula.
... crown.
... la dentiera.
... denture.
Può ripararla/o?
Can you repair it?
Può fare una riparazione provvisoria?
Can you repair it for the time being?

Quando sarà pronta?
When will it be ready?
Mi può fare un preventivo di spesa?
Can you give me an estimate of the cost, please?

Don't chew on that side for a few hours.
Non mastichi da questa parte per qualche ora.

OCULISTA E OTTICO

Vorrei misurarmi la vista.
I'd like to have my eyes tested.
Mi si è improvvisamente abbassata la vista.
All of a sudden my eyesight has got worse.
Non ci vedo più bene da un occhio.
I can no longer see properly out of one eye.
Vedo appannato/sfuocato.
My vision is blurred/out of focus.
Sono astigmatico/miope/presbite.
I am astigmatic/short-sighted/far-sighted.
Ho rotto le lenti/ho perduto le lenti a contatto.
My lenses are broken/I've lost my contact lenses.
Può sostituirmele?
Can you replace them for me, please?
Quando saranno pronte?
When will they be ready?

PARCELLA E PAGAMENTO

Quanto devo?
How much do I owe you?
Pago a lei o all'infermiera?
Shall I pay you or the nurse?
Può rilasciarmi ricevuta?
Could you give me a receipt, please?

AL PRONTO SOCCORSO

NEL CASO DI TRASPORTO D'URGENZA DI TRAUMATIZZATI AL PRONTO SOCCORSO

Sono caduto.
I fell.
Ho battuto ...
I banged my ...
... il bacino/il coccige.
... hip/coccyx.
... il femore/il ginocchio.
... thigh-bone/kneecap.
... il gomito/la schiena.
... elbow/back.
... la testa.
... head.
Ho preso la scossa elettrica.
I had an electric shock.
Mi sono ...
I've ... myself.
... punto/ustionato.
... pricked/burnt ...
... scorticato/tagliato.
... grazed/cut ...
Un animale...
An animal ...
Un cane ...
A dog ...
Una vipera/un serpente ...
A viper/a snake ...
... mi ha morso.
... has bitten me.
Mi ha punto un insetto.
An insect has stung me.
Può esaminare questo/a ...
Could you examine this ...

... bernoccolo/tumefazione?
... lump/swelling?
... escoriazione/graffio?
... graze/scratch?
... puntura/taglio?
... sting/cut?

Ho preso troppo sole.
I have been in the sun too long.
Faccio fatica a respirare.
I have difficulty in breathing.
Mi è entrato qualcosa nell'occhio.
I've got something in my eye.
Ho perso molto sangue.
I've lost a lot of blood.
Il mio gruppo sanguigno è ... positivo/negativo.
My blood group is ... positive/negative.

Does it hurt here?
Le fa male qui?
Does it hurt if I press/pull/push here/move it?
Le fa male se premo/tiro/spingo/muovo?
Do you want to vomit?
Ha urto di vomito?
Raise your arm/leg as far as you can.
Alzi il braccio/la gamba finché può.
You have ...
Lei ha ...
... concussion of the brain/a head injury.
... la commozione cerebrale/un trauma cranico.
... a bruise/a dislocation.
... una contusione/una lussazione.
... a fracture/a sprain.
... una frattura/una slogatura.
... pulled a muscle.
... uno strappo muscolare.

We must give you ...
Dobbiamo farle/darle ...
... a compress.
... un impacco.
... a minor operation.
... un piccolo intervento.
... a plaster cast.
... un'ingessatura.
... a tight/splinted bandaging.
... una fasciatura stretta/steccata.
... an X-ray.
... una radiografia.
... a local/general anaesthetic.
... un'anestesia locale/totale.
... a pain killer.
... un calmante per il dolore.
... a few stitches.
... dei punti di sutura.

Come back in ... days ...
Torni fra ... giorni per ...
... to have a fresh dressing.
... rifare la fasciatura.
... to have the plaster removed.
... togliere il gesso.
... for a check up.
... un controllo.
... to have the stitches taken out.
... togliere i punti.

You'll have to stay in bed for a few days.
Dovrà rimanere a letto per qualche giorno.

You'll have to spend a little time in hospital.
Dobbiamo ricoverarla/o.

4.4 SALUTE E CURE

Nel caso si assista alla visita di un traumatizzato impossibilitato a rispondere per proprio conto.

È svenuto.
He/She has fainted.
È caduto.
He/She has fallen.
È stato investito.
He/She has been run over.
È stato folgorato.
He/She has had an electric shock.
Ha già avuto un attacco cardiaco.
He/She has had a heart attack.
È soggetto a ...
He/She is prone to ...

... convulsioni.
... convulsions.
... crisi epilettiche.
... epileptic fits.
... emorragie.
... haemorrhages.

È allergico a ... .
He/She is allergic to ...

We need the authorization of a member of the family.
Abbiamo bisogno dell'autorizzazione di un familiare.
The prognosis is uncertain.
La prognosi è riservata.

IN FARMACIA

acqua	water	*'wɔ:tə*
distillata	distilled water	*distíld'wɔ:tə*
oligominerale	w. low in mineral content	*'wɔ:tə ləu in 'minərəl 'kɒntənt*
ossigenata	hydrogen peroxide	*'haidrədʒən pərɒ́ksaid*
alcol	methylated spirits	*'meθileitid 'spirits*
analgesico	analgesic	*ænældʒí:sik*
antibiotico	antibiotic	*æntibaiɒ́tik*
anticoncezionali	contraceptives	*kɒntrəséptivz*
antidiarroico	antidiarrheal drug	*æntidaiərí:əl'drʌg*
antipiretico	antipyretic	*æntipairétik*
antisettico	antiseptic	*æntiséptik*
aspirine	aspirin	*'æsprin*
assorbenti igienici	sanitary towels	*'sænitəri'tauəlz*
esterni	S.T.'s	*es ti:z*
interni	internal tampons	*intɜ́:nəl 'tæmpənz*
astringente	astringent	*ə́strindʒənt*
benda	bandage	*'bændidʒ*
bollitore	boiler	*'bɔilə*
borsa dell'acqua calda	hot water bottle	*'hɒt'wɔ:tə 'bɒtəl*
cachet	headache powder	*'hedeik'paudə*
calmante	sedative	*'sedətiv*
cerotti	plasters	*'plæstəz*
cicatrizzante	cicatrizant	*'sikətraizənt*
clistere	enema	*'enimə*
collirio	eye-wash/drops	*'aiwɔ:ʃ/drɒps*
collutorio	mouthwash	*'mauθwɔ:ʃ*
cortisone	cortisone	*'kɔ:tizəun*

crema	ointment	*'ɔintmənt*
contro le punture	o. for insect bites	*fɔ:'insekt 'baits*
contro le scottature	o. for sun-burn	*fɔ:'sʌn 'bɜ:n*
per neonati	baby cream	*'beibi 'kri:m*
digestivo	digestive	*didʒéstiv*
disinfettante	disinfectant	*disinféktənt*
farmacia	chemist's	*'kemists*
farmaco	drug for	*'drʌg fɔ:*
per via endovenosa	intravenous injections	*intrəví:nəs indʒékʃnz*
per via intramuscolare	d. f. intramuscular injections	*intrəmʌ́skjulə indʒékʃnz*
per via orale	d. f. oral use	*'ɔ:rəl 'ju:z*
per v. rettale	d. f. rectal use	*'rektəl 'ju:z*
fascia elastica	elastic bandage	*ilǽstik 'bændidʒ*
gargarismo	gargle	*'ga:gəl*
garza sterile	sterile gauze	*'sterail 'gɔ:z*
gocce	drops	*'drɒps*
iniezione	injection	*indʒékʃn*
insetticida	insecticide	*inséktisaid*
insulina	insulin	*'insjulin*
laccio emostatico	haemostat (tourniquet)	*'hi:məstæt 'tuənikei*
lassativo	laxative	*'læksətiv*
pasticche sterilizzanti	sterilizing tablets	*sterilàiziŋ 'tæbləts*
penicillina	penicillin	*penisílən*
pillole	pills	*'pils*
pomata	ointment	*'ɔintmənt*
prodotti	products	*'prɒdʌkts*
per diabetici	for diabetics	*fɔ: daiəbétiks*
omeopatici	homeopathic products	*'həumiəupæθik prɒdʌkts*

preservativi	condoms	*'kɒndəmz*
saccarina	saccharine	*'sækəri:n*
salvaslip	panty liners	*'pænti 'lainəz*
sciroppo	syrup	*'sirəp*
sedativo	sedative	*'sedətiv*
siringa	syringe	*'sirindʒ*
sonnifero	sleeping pill	*'sli:piŋ 'pil*
supposte	suppositories	*səpɒ́zitəriz*
termometro	thermometer	*'θɜ:mɒ́mitə*
tintura di iodio	tincture of iodine	*'tiŋktjə ɒv 'aiədi:n*
tranquillante	tranquillizer	*'træŋkwilaizə*
vaccino	vaccine	*'væksi:n*
vaselina	Vaseline	*'væsili:n*
vitamine	vitamins	*'vaitəmi:nz*

Dov'è una farmacia aperta?
Where can I find a chemist's open?
A che ora aprono/chiudono le farmacie?
What time do chemists open/close?
Dov'è una farmacia aperta 24 ore/la notte/i festivi?
Where is there a chemist's open round the clock/at night/on holidays?
Vorrei qualcosa contro ...
I'd like something for ...
... il mal di denti/di gola/di testa.
... tooth ache/a sore throat/a headache.
... il raffreddore da fieno.
... hay fever.
... il raffreddore/l'influenza.
... a cold/flu.
Come la devo prendere?
How should I take it?
Ci sono controindicazioni?
Are there any contraindications?

4.4 SALUTE E CURE

Va bene per chi soffre di ... ?
Is it all right for ... sufferers?
Vorrei del (nome di farmaco).
I'd like some (...).
Basta una confezione piccola.
A small pack will do.

> **This drug can only be handed over if you have prescription.**
> Non posso darle questo prodotto senza ricetta.

Può fare questa preparazione?
Could you make up this preparation, please?
C'è molto da aspettare?
Will I have to wait long?

AREA 5. SCOPRIRE

Quest'Area contempla le situazioni più tipiche del viaggio, ossia visitare monumenti e musei, fare escursioni, assistere a spettacoli e manifestazioni sportive, svagarsi all'aria aperta e divertirsi giocando, fare acquisti di generi necessari e voluttuari. Il dettaglio è massimo, sia nel frasario che nel lessico, per dare al viaggiatore la migliore assistenza nell'organizzare i momenti più emozionanti e gratificanti del suo viaggio, specialmente nella Situazione 5.4. Il lessico di quest'ultima è stato compilato con particolare cura, puntando a consentire il massimo possibile di scelta fra generi e articoli, perché anche il viaggiatore più esigente si trovi a proprio agio nel fare shopping, possa ottenere esattamente ciò che desidera e sia messo in condizione di far valere fino in fondo le proprie ragioni se l'acquisto o il prezzo non fossero di suo gradimento.

5.1 INCONTRI

PRIMI APPROCCI

Where do you come from?
Da dove viene?

Sono italiano/a.
I am Italian.
Sono qui ...
I'm here
... in vacanza/per lavoro.
... on holiday/on business.
... per motivi di studio/per un convegno.
... to study/for a conference.
Parlo solo italiano.
I only speak Italian.
Capisco solo un po' d'inglese.
I understand just a little English.
Non ho capito. Può ripetere?
I don't understand. Could you repeat, please?

Is this your first time in ... ?
È la prima volta che viene in ... ?

Ci sono già stato un'altra volta.
I have been here once before.

Where are you staying?
Dove alloggia?

Sono ...
I'm ...
... in un albergo/campeggio.
... at a hotel/camping site.
... presso una famiglia/in casa d'amici.
... staying with a family/friends.

Do you like ... ?
Le piace ... ?

Sì, mi piace/no, non mi piace.
Yes, I do./No, I don't.
È sempre così freddo/caldo?
Is it always so cold/hot?
Bella giornata oggi.
A lovely day today.

INFORMAZIONI E CONSIGLI

Queste poche frasi sono utili per l'approccio ad un interlocutore "indigeno". La particolare informazione o il contenuto del dialogo dipende evidentemente dalle circostanze e dalle specifiche esigenze del caso.

Parla italiano?
Do you speak Italian?
Potrebbe aiutarmi?
Could you help me, please?
Può parlare più lentamente/a voce più alta?
Could you speak more slowly/loudly, please?
Può scriverlo?
Would you write it down, please?
Può tradurmi cosa c'è scritto?
Could you translate what's written, please?

Può indicarmi la parola sul frasario?
Could you show me the word in the phrase book, please?

Come si pronuncia?
How do you pronounce it?

5.1 INCONTRI

SALUTI E PRESENTAZIONI

Mi chiamo ... .
My name is ... .
Posso presentarle ... ?
May I introduce you to ... ?
Piacere di conoscerla.
Pleased to meet you.
Come sta?
How are you?
Sto bene, grazie e Lei?/Non c'è male.
I'm fine, thanks. And you?/All right, thanks.
Spero di incontrarla di nuovo.
I hope to see you again.

CONOSCENZE E INVITI

Disturbo?
May I come in/join you?
Sono arrivato da poco.
I have just arrived.
Lei è del posto?
Are you from here?
Dove abita?
Where do you live?
Da quale paese viene?
Which country are you from?
Da quale città?
Whereabouts?
Dove è diretto/a?
Where are you heading for?
Si fermerà molto?
Are you staying long?
È in viaggio anche lei?
Are you also a traveller?

È sola/o?
Are you alone?
Vuole ballare?
Would you like to dance?
Posso invitarla a bere qualcosa?
Can I offer you something to drink?
Verrebbe con me/noi ...
Would you like to come with me/us ...
... al teatro/cinema?
... to the theatre/cinema?
... in discoteca?
... to a discotheque?
... a fare una passeggiata?
... for a walk?
Vorrei invitarla a cena.
I would like to invite you to dinner.
Dove possiamo incontrarci?
Where can we meet?
Qual è il suo numero telefonico?
What's your telephone number?
Il mio numero telefonico è ... .
My telephone number is ... .
Ci vediamo alle ore ..., la verrò a prendere a casa/in albergo.
I'll see you at ..., I'll fetch you at home/the hotel.
Spero di incontrarla nuovamente.
I hope to see you again.
È stata una splendida serata.
It has been a lovely evening.

No, thank you. I'd rather not.
Grazie, preferisco di no.
With pleasure.
Con piacere.
I'm engaged.
Sono impegnato/a.

5.2 VISITE E GITE

VISITARE LUOGHI E MONUMENTI

borsa	Stock Exchange	*'stɒk ikstʃéindʒ*
centro commerciale	commercial centre	*kəmɜ́:ʃəl 'sentə*
esposizione	exhibition	*eksibíʃn*
fiera	fair	*'feə*
mercato delle pulci	flea market	*'fli: 'ma:kət*
mostra	display	*displéi*
acquario	aquarium	*əkwéəriəm*
antichità	antiques	*æntí:ks*
area archeologica	archaeological site	*a:kiɒlɒ́dʒikəl 'sait*
biblioteca	library	*'laibrəri*
castello	castle	*'ka:səl*
catacombe	catacombs	*'kætəku:mz*
centro storico	historical centre	*'histɒrikəl 'sentə*
città vecchia	ancient town	*'einʃənt 'taun*
collezione	collection	*kəlékʃn*
fontana	fountain	*'fauntin*
fortezza	fortress	*'fɔ:tris*
galleria d'arte	art gallery	*'a:t 'gæləri*
giardino	garden	*'ga:dən*
giardino botanico	botanic gardens	*bətǽnik 'ga:dən*
grotta	cave	*'keiv*
luna park	fun fair	*'fʌnfeə*
lungolago	lakeside	*'leiksaid*
lungomare	sea front	*'si: 'frʌnt*
mausoleo	mausoleum	*mɔ:səlí:əm*
municipio	town hall	*'taun 'hɔ:l*
mura	town walls	*'taun 'wɔ:lz*
palazzo	building	*'bildiŋ*
parco	park	*'pa:k*
parlamento	parliament	*'pa:ləmənt*

planetario	planetarium	*plænitæriəm*
pinacoteca	picture gallery	*'piktʃə 'gæləri*
porta	gate	*'geit*
quartiere	quarter	*'kwɔ:tə*
rovine	ruins	*'ruinz*
scavi	excavations	*ekskəvėiʃn*
stadio	stadium	*'steidjəm*
teatro	theatre	*'θiətə*
tempio	temple	*'tempəl*
tomba	tomb	*'tu:m*
torre	tower	*'tauə*
tribunale	law-court	*'lɔ: kɔ:t*
università	university	*ju:nivɜ̀:siti*

Dov'è l'uffico turistico?
Where is the tourist office?
Che cosa c'è di interessante da visitare?
What is there of interest to visit?
Ha dei pieghevoli illustrativi?
Have you got any brochures?
Qual è l'orario d'apertura?
What are the opening times?
È aperto la domenica?
Is it open on Sundays?
Quanto tempo ci vuole per visitare … ?
How long does it take to visit … ?
C'è una visita guidata a … ?
Is there a guided tour to … ?
Vorrei una guida in italiano.
I'd like a guide in Italian.
Che cos'è questo edificio?
What is this building?
Chi l'ha costruito?
Who was it built by?

5.2 VISITE E GITE

A che epoca risale?
What period is it from?
Dov'è la casa (natale) di ... ?
Where is the house/birthplace of ... ?
Ci sono riduzioni per giovani/pensionati/gruppi?
Are there reduced rates for young people/old age pensioners/groups?

VISITARE MUSEI, MOSTRE, COLLEZIONI

Nel corso della visita si possono incontrare i seguenti cartelli e avvisi.

The taking of photographs is strictly forbidden.
È vietato fotografare.
Use of flash forbidden.
Vietato fotografare col flash.
Do not touch the exhibits.
Vietato toccare le opere.
In restoration.
Opera in restauro.
Room/Wing closed for restoration.
Sala/ala chiusa per restauri.
Rooms not open to the general public.
Sale non aperte al pubblico.

Dov'è ...
Where is ...
... il monumento ... ?
... the monument to ... ?
... l'ingresso del museo?
... the museum entrance?
... la biglietteria del museo ... ?
... the ticket office for the ... museum?
In quale museo è conservato il quadro/la statua di ... ?
Which museum houses the painting/statue by/of ... ?

The museum is closed for restoration.
Il museo è chiuso per restauri.

Quanto costa il biglietto?
How much is the ticket?
Esiste un biglietto cumulativo per tutti i musei della città?
Is there a collective ticket for all the museums in the city/town?
Esistono biglietti validi più giorni?
Is there a period ticket valid for more than one day?
C'è un giorno in cui l'ingresso è gratuito?
Is there a day of free entrance?
Che orario fa il museo ... ?
What are the museum opening times?
Qual è il giorno di chiusura?
When is the closing day?
Fino a quando dura la mostra di ... ?
How long will the exhibition of ... last?

The exhibition has been extended until ... .
La mostra è stata prorogata fino al ... .

Dov'è il guardaroba?
Where is the cloakroom?
Ci sono visite guidate in italiano/inglese?
Are there guided visits in Italian/English?
A che ora comincia la visita guidata?
What time does the guided tour start?
Ha una guida/un catalogo in italiano/inglese?
Have you got a guide/a catalogue in Italian/English?
C'è una audioguida?
Is there an audioguide?
È possibile visitare la collezione ... ?
Is the ... collection open to visitors?

This section is open on alternate days.
Questa sezione è aperta a giorni alterni.

5.2 VISITE E GITE

Dov'è la sezione di … ?
Where is the section on/of … ?
Dov'è la sala di … ?
Where is the room of … ?
Chi ha dipinto questo quadro?
Who painted this picture?

> **Work attributed to … .**
> Opera attribuita a … .

A che epoca risale quest'opera?
What period is this work from?
Dov'è …
Where is …
 … la toilette/il bar/ristorante?
 … the toilet/bar/restaurant?
 … l'ascensore/la scala/l'uscita?
 … the lift/staircase/exit?
 … il book-shop/la libreria?
 … the book shop?
Fra quanto chiude il museo?
When does the museum close?

> **The museum closes in 30 minutes. Please go to the exit.**
> Il museo chiude fra 30 minuti. Avvicinarsi all'uscita.

STILI, TECNICHE, OGGETTI E MATERIALI

acquaforte	etching	*ˈetʃiŋ*
acquerello	water colour	*ˈwɔ:təkɒlə*
affresco	fresco	*ˈfreskəu*
arazzo	tapestry	*ˈtæpistri*
argento	silver	*ˈsilvə*
armatura	armoury	*ˈa:məri*
artigianato	handicraft	*ˈhændikra:ft*

autoritratto	self portrait	*'selfpɔ:treit*
avorio	ivory	*'aivəri*
bassorilievo	bas-relief	*'bɒrilí:f*
bozzetto	sketch	*'sketʃ*
bronzo	bronze	*'brəunz*
busto	bust	*'bʌst*
capitello	capital	*'kæpitəl*
ceramica	ceramics	*sirǽmiks*
colonna	column	*'kɒləm*
copia	copy	*'kɒpi*
cornice	frame	*'freim*
dipinto	painting	*'peintiŋ*
disegno	drawing	*'drɔ:iŋ*
fregio	frieze	*'fri:z*
frontone	pediment	*'pedimənt*
glittica	glyptic	*'gliptik*
graffito	graffito	*grəfí:təu*
icona	icon	*'aikən*
incisione	engraving	*ingréiviŋ*
intaglio	carving	*'ka:viŋ*
intarsio	inlaid work	*inléid 'wɜ:k*
legno	wood	*'wud*
litografia	lithograph	*'liθɒgræ:f*
maiolica	majolica	*məjɒ́likə*
marmo	marble	*'ma:bəl*
medaglia	medal	*'medəl*
miniatura	miniature	*'minitʃə*
mobilio	furniture	*'fɜ:nitʃə*
mosaico	mosaic	*məuzéik*
mummia	mummy	*'mʌmi*
natura morta	still life	*'stil 'laif*
numismatica	numismatics	*njumismǽtiks*
obelisco	obelisk	*'ɒbəlisk*
paesaggio	landscape	*'lændskeip*
pala	altar piece	*'ɔ:ltə 'pi:s*

5.2 VISITE E GITE

pastello	pastel	*pæstél*
pittore	painter	*'peintə*
pittura a olio	oil painting	*'oil 'peintiŋ*
porcellana	porcelain	*'pɔ:səlin*
quadro	picture	*'piktʃə*
rame	copper	*'kɒpə*
ritratto	portrait	*'pɔ:treit*
sarcofago	sarcophagus	*sa:kɒ́fəgəs*
schizzo	sketch	*'sketʃ*
scultura	sculpture	*'skʌlptʃə*
serigrafia	serigraph	*'serigra:f*
smalto	enamel	*inǽməl*
stele	stele	*'sti:li:*
stucco	plaster	*'pla:stə*
tavola	panel	*'pænəl*
tela	canvas	*'kænvəs*
tempera	tempera	*'tempərə*
terme	spa	*'spa*
terracotta	earthenware	*'ɜ:θən 'weə*
vaso	vase	*'veiz*
xilografia	woodcut	*'wudkʌt*

CHIESE, LUOGHI SACRI E DI CULTO

abbazia	abbey	*'æbi*
abside	apsis	*'æpsis*
altare	altar	*'ɔ:ltə*
basilica	basilica	*bəzílikə*
battistero	baptistery	*'bæptistri*
campanile	steeple	*'sti:pəl*
cappella	chapel	*'tʃæpəl*
cattedrale	cathedral	*kəθí:drəl*
chiesa	church	*'tʃɜ:tʃ*

chiostro	cloister	*'klɔistə*
cimitero	cemetry	*'semitəri*
confessionale	confessional	*kənfé∫nəl*
convento	convent	*'kɒnvənt*
coro	choir	*'kwaiə*
cripta	crypt	*'kript*
crocefisso	crucifix	*'kru:sifiks*
cupola	dome	*'dəum*
duomo	cathedral	*kəθí:drəl*
facciata	facade	*fəsá:d*
fonte battesimale	font	*'fɒnt*
guglia	spire	*'spaiə*
monastero	monastery	*'mɒnəstəri*
moschea	mosque	*'mɒsk*
navata	nave/aisle	*'neiv/'ail*
organo	organ	*'ɔ:gən*
pala	altar piece	*'ɔ:ltəpi:s*
portale	portal	*'pɔ:təl*
pulpito	pulpit	*'pulpit*
reliquia	relic	*'relik*
rosone	rosette	*rəuzét*
sacrestia	sacristy	*'sækristi*
sinagoga	synagogue	*'sinəgɒg*
transetto	transept	*'trænsept*
vetrata	stained-glass window	*'steind'gla:s 'windəu*

Si può visitare la chiesa?
Is the church open to tourists?
Quando è stata costruita?
When was it built?

5.2 VISITE E GITE

GITE, ESCURSIONI E VIAGGI

Si veda anche la voce Pullman extraurbani nell'Area 2.5.

Dov'è un'agenzia turistica?
Where can I find a tourist agency?
Vorrei fare ...
I'd like to go on ...

... una visita guidata della città.
... a guided tour of the city.
... un'escursione a .... .
... an excursion to .... .
... una gita in battello a .... .
... a boat trip to .... .

Quanto costa a persona?
How much does it cost per person?
Che cosa è compreso nel prezzo?
What is included in the price?

Included are: coach, guide, entrance ticket, packed lunch/lunch in a restaurant.
Sono compresi: pullman, guida, biglietto d'ingresso, colazione al sacco/in ristorante.

Quanto tempo ci vuole?
How long does it take?
A che ora si parte/si torna?
What time is the departure/return?
Qual è il programma della visita?
What is the tour plan?
Ci sono guide che parlano italiano?
Are there Italian-speaking guides?
Da dove si parte?
Where is the point of departure?
Dove sarà il pranzo?
Where is the stop for lunch?

Dove pernotteremo?
Where is the overnight stop?
Saremo coperti da assicurazione?
Are we covered by insurance?

EVENTUALI RINUNCE E RECLAMI

Vorrei cambiare la data dell'escursione.
I'd like to change the excursion date.
Vorrei cancellare la prenotazione.
I'd like to cancel my booking.
Ho diritto al rimborso per intero?
Am I allowed a refund in full?
Non avete rispettato il programma.
You did not keep to the programme.
Nel programma dell'escursione ...
In the excursion programme ...
... era prevista anche la visita di ... .
... there was supposed to be a visit to ... .
... il pranzo era incluso nel prezzo.
... the price was inclusive of lunch.
... il biglietto era incluso nel prezzo.
... the price was inclusive of the entrance ticket.

AL MARE, AL LAGO, SUL FIUME

bagnino	life guard	*'laifga:d*
barca	boat	*'bəut*
a motore	motorboat	*'məutəbəut*
a remi	rowing boat	*'rəuiŋ 'bəut*
a vela	yacht/sailing boat	*'jɒt/ 'seiliŋ 'bəut*
boa	buoy	*'bɔi*
boccaglio	nozzle	*'nɒzəl*
cabina	cabin/hut	*'kæbin/ 'hʌt*
canotto	skiff	*'skif*
maschera	mask	*'ma:sk*

5.2 VISITE E GITE

mare	sea	*'si:*
calmo	calm sea	*'ka:m 'si:*
mosso	choppy sea	*'tʃɒpi 'si:*
ombrellone	umbrella	*ʌmbrélə*
pinne	flippers	*'flipəz*
salvagente	life -belt	*'laif-belt*
sedia a sdraio	deck chair	*'dek 'tʃeə*
stabilimento balneare	bathing establishment	*'beiðiŋ istǽbliʃmənt*
tavola da surf	surf board	*'sɜ:f 'bɔ:d*
da windsurf	windsurf board	*'winzɜ:f 'bɔ:d*
telo da spiaggia	beach towel	*'bi:tʃ 'tauəl*

Dov'è la spiaggia più vicina?
Where is the nearest beach?
È una spiaggia sabbiosa/sassosa?
Is it a sandy/pebbly beach?
Ci sono correnti?
Are there any currents?
È sicuro fare il bagno qui?
Is it safe to bath here?
È possibile noleggiare l'equipaggiamento per la pesca subacquea?
Can I hire the kit for subsea fishing?
Vorrei noleggiare … .
I'd like to hire … .

No bathing.
Divieto di balneazione.

ALL'ARIA APERTA

bosco	wood	*'wud*
brughiera	moor	*'muə*
campo	field	*'fi:ld*
canale	canal	*kənǽl*
cascata	waterfall	*'wɔ:təfɔ:l*
cima	top	*'tɒp*
collina	hill	*'hil*
duna	dune	*'dju:n*
fauna	wild life	*'waildlaif*
fiume	river	*'rivə*
flora	flora	*'flɔ:rə*
foresta	forest	*'fɔ:rəst*
fossato	ditch	*'ditʃ*
lago	lake	*'leik*
montagna	mountain	*'mauntin*
parco naturale	natural park	*'nætjurəl 'pa:k*
ponte	bridge	*'bridʒ*
prato	meadow	*'medəu*
rifugio	refuge	*'refju:dʒ*
ruscello	stream	*'stri:m*
scogliera	cliff	*'klif*
sentiero	path	*'pa:θ*
sorgente	spring	*'spriŋ*
stagno	pond	*'pɒnd*
valle	valley	*'væli*

È una strada panoramica?
Is it a panoramic road?
È un itinerario naturalistico?
Is it a nature trail?
Ci sono visite guidate del parco?
Are there guided tours of the park?

5.2 VISITE E GITE

Ci sono villaggi nelle vicinanze?
Are there any villages in the vicinity?
Ci si può arrivare/a piedi/a cavallo/in bicicletta?
Can we get there on foot/on horseback/by bicycle?
Avete una cartina ...
Have you got a map ...
... degli itinerari?
... of itineraries?
... dei sentieri?
... of paths?

■ POSSIBILI SEGNALAZIONI DURANTE L'ESCURSIONE

Do not pick the flowers.
Vietato raccogliere fiori.
Do not leave the paths.
Non abbandonare i sentieri.
Do not feed the animals.
Non date da mangiare agli animali.
Danger. Do not leave your vehicle.
Pericolo. Vietato scendere dall'automobile.

CINEMA, TEATRO E CONCERTI

PROGRAMMAZIONE E BIGLIETTI

anteprima	preview	*'pri:vju:*
balletto	ballet	*'bælei*
circo	circus	*'sɜ:kəs*
commedia	play	*'plei*
compagnia	company	*'kʌmpəni*
coreografia	choreography	*kɒriɒ́grəfi*
danza	dancing	*'da:nsiŋ*
classica	classical ballet	*'klæsikəl 'bælei*
folkloristica	folk dance	*'fɔ:k 'da:ns*
moderna	modern dance	*'mɒdən 'da:ns*
dramma	dramatic play	*drəmǽtik 'plei*
esibizione	exhibition	*ekshibíʃn*
film	movie	*'mu:vi*
galleria	gallery	*'gæləri*
intervallo	interval	*'intəvəl*
marionette	puppets	*'pʌpəts*
maschere	masks	*masks*
melodramma	opera	*'ɒpərə*
mimo	mime	*'maim*
multisala	auditoriums	*ɔ:ditɔ́:ri:əmz*
musica	music	*'mju:zik*
da camera	chamber music	*'tʃæmbə 'mju:zik*
lirica	operatic music	*ɒpərǽtik 'mju:zik*
sacra	sacred music	*'seikrid 'mju:zik*
sinfonica	symphonic m.	*simfɒ́nik 'mju:zik*
tradizionale	traditional folk m.	*trədíʃnəl 'fɔ:k 'mju:zik*
opera	opera	*'ɒpərə*
oratorio	oratorio	*ɒrətɔ́:riəu*

5.3 SPETTACOLI E DIVERTIMENTI

palco	box	*'bɒks*
platea	stalls	*'stɔ:lz*
poltrona	seat	*'si:t*
prima	first night	*'fɜ:st 'nait*
programma	programme	*'prəugræm*
proiezione	screening	*'skri:niŋ*
rappresentazione	performance	*pəfɔ́:məns*
rassegna	exhibition	*ekshibíʃn*
regia	direction/ production	*dirékʃn/ prədʌ́kʃn*
replica	repeat performance	*ripí:t pəfɔ́:məns*
sala	hall	*'hɔ:l*
scena	scene	*'si:n*
scenografia	scenery	*'si:nəri*
schermo	screen	*'skri:n*
serata	evening	*'i:vniŋ*
di beneficenza	charity performance	*'tʃærəti/ pəfɔ́:məns*
di gala	gala evening	*'ga:lə 'i:vniŋ*
spettacolo	show	*'ʃəu*
diurno	matinée	*mætinéi*
per bambini	children's show	*'tʃildrənz 'ʃəu*
suoni e luci	son et lumière	*sɒnelú:mjeə*
tempo	act	*'ækt*
varietà	variety	*və'raiəti*

■ POSSIBILI AVVISI O ANNUNCI

No admittance to minors of ... years.
Vietato ai minori di ... anni.
Performance cancelled/postponed to ...
Rappresentazione annullata/rinviata al ... .

Ha il programma dei cinema di stasera?
Have you got this evening's cinema programme, please?
Ha il programma settimanale dei teatri?
Have you got the weekly theatre programme?
Vorrei il programma del festival di ... .
I'd like the ... festival programme.
C'è un bollettino con il programma degli spettacoli?
Have you got a list of entertainments, please?
È necessario prenotare il posto?
Must one book seats beforehand?
Dove posso trovare i biglietti per ... ?
Where can I get tickets for ... ?

> **At the theatre box office.**
> Direttamente al botteghino del teatro.
> **The advance ticket office is in ... .**
> La prevendita è in ... .

Quanto costa un posto in platea/in prima/seconda galleria/in un palco?
How much is a seat in the stalls/in the dress circle/in the gallery/in a box?
Vorrei prenotare ... biglietti in ... per il concerto di ... .
I'd like to book ... seats in ... for the concert of ... .

> **Tickets for that date are all sold out.**
> In quella data è tutto esaurito.
> **There are still tickets just for ... .**
> Sono rimasti posti solo per il giorno ... .

Sono buoni questi posti?
Are these seats good?
Vorrei un posto centrale.
I'd like a central seat.
A che ora inizia/termina lo spettacolo?
What time does the show begin/end?

5.3 SPETTACOLI E DIVERTIMENTI

INFORMAZIONI SUGLI SPETTACOLI

Può consigliarmi un buon concerto di musica ... ?
Can you suggest a good ... music concert?
Che genere è?
What kind is it?
Chi è/sono ...
Who is/are ...
  ... l'autore/il produttore/il regista/gli attori principali?
  ... the author/the play producer/the film director/the leading actors?
  ... il direttore d'orchestra/il solista?
  ... the conductor/the soloist?
  ... l'orchestra/i ballerini?
  ... the orchestra/the dancers?
È in ... *[lingua]*?
Is it in ... ?
Ci sono sottotitoli?
Are there any sub-titles?

DENTRO AL TEATRO

Dov'è il guardaroba/la toilette?
Where is the cloakroom/the toilet?
Dove sono questi posti?
Where are these seats?
È possibile cambiare posto? Non vedo/sento niente!
Can I change my seat? I cannot see/hear anything!

> **The performance has already begun. You can't go into the auditorium.**
> Lo spettacolo è già iniziato, non può entrare in sala.

C'è l'intervallo?
Is there an interval?
Dove rimborsano i biglietti?
Where can I get a refund for my ticket?

LOCALI NOTTURNI, DISCOTECHE E NIGHT-CLUB

Può consigliarmi ...
Could you suggest ...

... un pianobar/night-club/una discoteca?
... a piano bar/night club/discotheque?

... un locale dove suonano musica ... ?
... somewhere where ... music is played?

A che ora chiude il locale?
What time does it close?

Che genere di locale è?
What kind of place is it?

INDOSSARE L'ABBIGLIAMENTO ADEGUATO

Per entrare in alcuni locali, ristoranti e teatri è richiesto un abbigliamento adeguato all'occasione.

Evening dress/jacket and tie/formal dress is requested.
È richiesto/a l'abito da sera/giacca e cravatta/l'abito lungo.

5.3 SPETTACOLI E DIVERTIMENTI

MANIFESTAZIONI E PRATICHE SPORTIVE

amichevole	friendly	*'frendli*
arbitro	referee	*'refəri*
arti marziali	martial arts	*'ma:ʃiəl 'a:ts*
atletica	athletics	*æθlétiks*
batteria	heat	*'hi:t*
calcio	soccer	*'sʌkə*
campo di gioco	playing field/ court/course	*'pleiŋ 'fild/ 'kɔ:t/ 'kɔ:s*
canottaggio	canoeing	*kənú:iŋ*
ciclismo	cycling	*'saikliŋ*
circuito	track/lap	*'træk/ 'læp*
corridore	(racing) competitor	*kəmpétitə*
corsa	racing	*'reisiŋ*
automobilistica	motorcar racing	*'məutəka: 'reisiŋ*
di cani	greyhound r.	*'grei haund 'reisiŋ*
di cavalli	horse racing	*'hɔ:s 'reisiŋ*
motociclistica	motorcycle r.	*'məutəsaikəl 'reisiŋ*
podistica	foot racing	*'fut reisiŋ*
equitazione	riding	*'raidiŋ*
fallo	fault/foul	*'fɔ:lt/ 'faul*
finale	finals	*'fainəlz*
fondo	cross-country	*'krɒs-kauntri*
ginnastica	gymnastics	*dʒimnǽstiks*
giocatore	player	*'pleiə*
incontro	match	*'mætʃ*
ippodromo	race course	*'reis 'kɔ:s*
mezzofondo	middle-ground r.	*'midəl-graund 'reis*
nuoto	swimming	*'swimiŋ*
pallacanestro	basket ball	*'ba:skit 'bɔ:l*

pallanuoto	water polo	*'wɔ:tə 'pəuləu*
pallavolo	volley ball	*'vɒli 'bɔ:l*
partenza	start	*'sta:t*
pattinaggio	skating	*'skeitiŋ*
a rotelle	roller skating	*'rəulə 'skeitiŋ*
su ghiaccio	ice skating	*'ais 'skeitiŋ*
pilota	racing car driver	*'reisiŋ 'ka: 'draivə*
pista	track	*'træk*
pugilato	boxing	*'bɒksiŋ*
quarto di finale	quarter finals	*'kwɔ:tə 'fainəlz*
rete (calcio)	goal	*'gəul*
rete (tennis, pallavolo)	net	*'net*
risultato	score	*'skɔ:ə*
scherma	fencing	*'fensiŋ*
semifinale	semi-finals	*'semi-fainəlz*
sostituzione	replacement	*ripléismənt*
stadio	stadium	*'steidjəm*
traguardo	finishing post	*'finiʃiŋ 'pəust*
tribuna	(grand)stand	*'grændstænd*

LE PRINCIPALI DISCIPLINE ATLETICHE

100/200/400/800/1500/5000/10.000 metri piani
100/200/400/800/1500/5000/10,000 metres flat race

110/400 metri ostacoli
110/400 metres hurdle race

3000 siepi
3000 hurdle steeple chase

lancio del peso/del disco/del giavellotto
shot put/the discus/javelin throwing

maratona
marathon

salto in alto/in lungo/triplo/con l'asta
high/long/triple jump/pole vaulting

staffetta 4x100/4x400
4 by 100/4 by 400 relay
Ci sono manifestazioni sportive in questo periodo?
Are there any sporting events at this time?

> **There is an international tournament of … .**
> C'è il torneo internazionale di … .
> **There are the … championships.**
> C'è il campionato di … .

Quali squadre giocano?
Which teams are playing?
Vorrei andare a vedere una partita di … .
I'd like to see a … match.
Dove si trovano i biglietti per la partita di domenica prossima?
Where can I get tickets for next Sunday's match?
Ci sono posti numerati?
Are there any numbered seats?
Qual è il punteggio?
What is the score?
Chi ha segnato?
Who has scored?
Chi ha vinto?
Who has won?
Vorrei scommettere … su … (vincente/piazzato) nella … corsa.
I'd like to place a bet of … on … (winning/coming) in the … race.
A quanto lo danno?
What are the odds on … (nome)?

■ ALTRE DISCIPLINE E PRATICHE SPORTIVE

aerobica	aerobics	*eərə́ubiks*
alpinismo	rock climbing	*'rɒk 'klaimiŋ*
caccia	hunting	*'hʌntiŋ*

canoa	canoeing	*kənú:iŋ*
cavallo	horse riding	*'hɔ:s 'raidiŋ*
cicloturismo	touring by bicycle	*'tuəriŋ bai 'baisikəl*
cricket	cricket	*'krikit*
deltaplano	hang gliding	*'hænd 'glaidiŋ*
palestra	gym	*'dʒim*
paracadutismo	parachuting	*'pærəʃu:tiŋ*
parapendio	sky diving	*'skai 'daiviŋ*
pesca	fishing	*'fiʃiŋ*
ping-pong	ping-pong	*'piŋpɒŋ*
sci nautico	water ski-ing	*'wɔ:tə 'ski:iŋ*
tiro	shot/throw	*'ʃɒt 'θrəu*
con l'arco	archery	*'a:tʃəri*
al piattello	clay-pigeon shooting	*'klei-pidʒən 'ʃu:tiŋ*
vela	sailing	*'seiliŋ*
volo a vela	sailplaning	*'seilpleiniŋ*

Quali sport si possono praticare qui?
What sports facilities are there here?
Dove si può fare una partita a ... ?
Where can one play a game of ... ?
Dove si trova ...
Where can I find ...
 ... una piscina all'aperto/al chiuso?
 ... a(n) open-air/covered swimming pool?
 ... un campo da tennis/da golf?
 ... a tennis court/golf course?
 ... un maneggio?
 ... a riding stable?
Vorrei prendere delle lezioni di ... .
I'd like to take ... lessons.
Sono principiante, non ho mai giocato a ... .
I am a beginner. I have never played ... .

5.3 SPETTACOLI E DIVERTIMENTI

Gioco abbastanza bene a … .
I play … quite well.
Cerco qualcuno con cui giocare a … .
I am looking for someone to play … with.
Vorrei prenotare il campo per domani dalle … alle … .
I'd like to book a court/pitch for tomorrow from … to … .

Reserved for members/hotel clients.
È riservato ai soci/ai clienti dell'hotel.

Vorrei noleggiare …
I'd like to hire …
… una canna da pesca.
… a fishing rod.
… una racchetta da tennis.
… a tennis racket.
… un paio di pattini.
… a pair of skates.
… un windsurf/una barca a vela.
… a windsurfing board/yacht.
L'acqua della piscina è riscaldata?
Is the water in the swimming pool heated?

Swimming caps must be worn in the pool.
Per entrare in piscina è obbligatorio l'uso della cuffia.
Showers are compulsory before entering the pool.
Obbligo di fare la doccia prima di entrare in piscina.
No diving.
Non fare tuffi.

Il campo è all'aperto?
Is it an open-air court?
È possibile pescare qui?
Is there any fishing here?
È possibile fare immersioni subacquee?
Is skin diving practised here?

È possibile fare pesca subacquea?
Is there any underwater fishing here?

> **Yes, but without air cylinders.**
> Sì, ma senza bombole di ossigeno.

SPORT INVERNALI

bastoncini	sticks	*'stiks*
ovovia	cable car	*'keibəlka:*
pattini da ghiaccio	ice skates	*'ais 'skeits*
scarponi	boots/shoes	*'bu:ts/ 'ʃu:z*
sciovia	ski lift	*'skilift*
sci	skis	*'ski:z*
da discesa	downhill skis	*'daunhil 'ski:z*
da fondo	cross-country s.	*'krɒskauntri 'ski:z*
seggiovia	chair lift	*'tʃeəlift*
slittino	sled	*sled*

Dove si fa lo skipass?
Where do I get a skipass?
Dove sono le piste da sci?
Where are the ski runs?
Dov'è la scuola di sci?
Where is the ski school?
Vorrei prendere delle lezioni di sci.
I'd like to take skiing lessons.
Sono principiante.
I am a beginner.
Vorrei noleggiare ... .
I'd like to hire ... .
Dov'è la funivia?
Where is the cableway?
È difficile questa pista?
Is this ski run difficult?

5.3 SPETTACOLI E DIVERTIMENTI

SEGNALAZIONI SULLE PISTE

Do not ski off the track.
Non lasciare la pista.
Danger of avalanches.
Pericolo valanghe.

SVAGHI E GIOCHI

alfiere	bishop	*'biʃəp*
asso	ace	*'eis*
biliardo	billiards	*'biljəd*
birilli	skittles	*'skitəlz*
boccette	balls	*'bɔ:lz*
canasta	canasta	*kənǽstə*
carte	playing cards	*'pleiŋ 'ka:dz*
casinò	casino	*kəsí:nəu*
cavallo	knight	*'nait*
colore	suit (carte), flush (poker)	*'su:t/ 'flʌʃ*
compagno	partner	*'pa:tnə*
coppia	pair	*'peə*
cuori	hearts	*'ha:ts*
dadi	dice	*'dais*
dama	draughts/king	*'dra:fts/ 'kiŋ*
dichiarare	bid	*'bid*
distribuire	deal	*'di:l*
donna	queen	*'kwi:n*
doppia coppia	two pairs	*tu: 'peəz*
fante	jack	*'dʒæk*
fiori	clubs	*'klʌbz*
gioco	game	*'geim*
d'abilità	game of skill	*ɒv 'skil*

di carte	game of cards	*ɒv ˈka:dz*
jolly	joker	*ˈdʒəukə*
mazzo	pack	*ˈpæk*
mossa	turn/move	*ˈtɜ:n/ ˈmu:v*
pallino	object ball/ jack	*ˈɒbdʒəkt ˈbɔ:l/ ˈdʒæk*
passare	pass	*ˈpa:s*
pedina	piece/chessman	*ˈpi:s/ ˈtʃesmæn*
pedone	pawn	*ˈpɔ:n*
picche	spades	*ˈspeidz*
puntare	bet	*ˈbet*
punti	points	*ˈpɔints*
quadri	diamonds	*ˈdaiəmənds*
re, regina	king, queen	*ˈkiŋ, ˈkwi:n*
scacchi	chess	*ˈtʃes*
scacchiera	chessboard	*ˈtʃesbɔ:d*
scacco al re	the king in check	*θə ˈkiŋ in ˈtʃek*
scacco matto	checkmate	*ˈtʃekmeit*
scala	run	*ˈrʌn*
stecca	cue	*ˈkju:*
taglio	cut	*ˈcʌt*
tavolo da gioco	games table	*ˈgeimz ˈteibəl*
torre	rook	*ˈruk*
tris	three	*ˈθri:*

Dove posso giocare a ... ?
Where can I play ... ?
Dove si comprano i gettoni?
Where can I buy counters?
Avete giochi di società?
Have you got any party games?
Vorrei iscrivermi al torneo di ... .
I'd like to enter for the ... tournament.

5.3 SPETTACOLI E DIVERTIMENTI

Dove si trova una sala giochi/il casinò?
Where can I find a gaming room/casino?
Qual è la puntata minima?
What are the minimum stakes?
Può spiegarmi il gioco?
Could you explain the game to me, please?
Qual è il programma delle attività del villaggio per ... ?
What is the resort's entertainment programme ... ?
Dove posso iscrivermi al torneo/corso di ... ?
Where do I sign up for the ... tournament/course?
Dove posso noleggiare l'attrezzatura per ... ?
Where can I hire ... equipment?
Vogliamo fare una partita a ... ?
Shall we have a game of ... ?
Vorrei giocare ma non ho un compagno.
I would like to play but I have no partner.
Non so giocare a ... .
I can't play ... .
Non amo giocare d'azzardo.
I don't like gambling.
Non voglio giocare di soldi.
I don't want to play for money.
Chi tiene il punteggio?
Who counts the points?

ALLA RICERCA DI UN NEGOZIO, DI UN ARTICOLO O DI UN SERVIZIO

In questo elenco si trovano soltanto quegli esercizi cui non è dedicato un lessico specifico nel prosieguo di questa voce.

animali	pets	*ˈpets*
antiquario	antiques	*æntíks*
armeria	hunting equipment	*ˈhʌntiŋ ikípmənt*
arredamento	furnishings	*ˈfɜ:niʃiŋs*
articoli	items	*ˈaitəmz*
da campeggio	camping items	*ˈkæmpiŋ ˈaitəmz*
da regalo	gift items	*ˈgift ˈaitəmz*
da viaggio	travel items	*ˈtrævəl ˈaitəmz*
religiosi	ecclesiastic items	*ikli:ziǽstik ˈaitəmz*
sportivi	sports items	*ˈspo:ts ˈaitəmz*
aste	auctions	*ˈɔ:kʃnz*
biciclette (riparazione)	bicycle (repairs)	*ˈbaisikəl ripɜ́:z*
ceramiche	ceramics	*sirǽmik*
chincaglieria	fancy goods	*ˈfænsi ˈgu:dz*
cristalleria	crystalware	*ˈkristəlweə*
drogheria	grocery	*ˈgrəusəri*
elettricista	electrician	*ilektríʃn*
erboristeria	health food	*ˈhelθ ˈfu:d*
ferramenta	hardware (stores)	*ˈha:dweə ˈstɔ:z*
filatelia	stamp collecting	*ˈstæmp kəléktiŋ*
frutta e verdura	greengrocery	*ˈgri:n ˈgrəusəri*
gastronomia	delicatessen	*delikətésn*
gelateria	ice-cream parlour	*ˈais-kri:m ˈpa:lə*
giocattoli	toys	*ˈtɔiz*
illuminazione	light fittings	*ˈlait ˈfitiŋz*
latteria, formaggi	dairy	*ˈdeəri*
libreria	bookshop	*ˈbukʃɒp*

5.4 ACQUISTI E SHOPPING

manifesti	posters	*'pəustə*
merceria	haberdashery	*'hæbədæʃəri:*
mobili	furniture	*'fɜ:nitʃə*
panetteria	bakery	*'beikəri*
pasticceria	pastry (shop)	*'pæstri 'ʃɒp*
pellicceria	furrier's	*'fʌriəz*
pescheria	fishmongery	*'fiʃmʌŋgəri*
porcellane	china (shop)	*'tʃainə 'ʃɒp*
premaman e neonati	maternity wear and infant care	*mətɜ́:niti 'weə ənd 'infənt 'keə*
recapiti	addresses	*ədrésiz*
ricami	embroidery	*imbrɔ́idəri*
rosticceria	rotisserie	*rəutísəri*
salumeria	grocer's	*'grəusəz*
sartoria	dress maker's/ tailor	*dres 'meikəz/ 'teilə*
souvenir	souvenir	*su:vəníə*
stampe, incisioni	prints, engravings	*'prints/ingréiviŋz*
stereofonia e alta fedeltà	stereo and hi-fi	*'steriəu ənd 'haai 'fai*
strumenti	instruments	*'instrumənts*
tappeti	carpets	*'ka:pits*
veterinario	veterinary surgeon	*'vetərinəri 'sɜ:dʒən*
vetri artistici	fancy glassware	*'fænsi 'gla:sweə*
vini e liquori	wines and liqueurs	*'wainz ənd 'likjuəz*

Dove si trova ...
Where can I find ...

... il più vicino negozio di ... ?
... the nearest ... shop?
... un centro commerciale/un grande magazzino?
... a shopping centre/a department store?

... un supermercato/un mercato?
... a supermarket/a market?

Che orario fa? Quali sono i giorni di chiusura?
What are the opening times? What are the closing days?

Può indicarmi una zona con dei buoni negozi?
Can you tell me where there is a good shopping area?

Può consigliarmi ...
Could you suggest ...

... un buon negozio di ... ?
... a good ... (shop)?

... un negozio di ... non troppo caro/non turistico?
... a ... (shop) which is not too expensive/not touristy?

NEL NEGOZIO

All'esterno del negozio può esserci una delle seguenti scritte:

Free entrance
Ingresso libero

Fixed prices
Prezzi fissi

Self service. Please pay at the cash desk.
Servitevi da soli e pagate alla cassa

ATTENZIONE AI CARTELLI CHE DICONO:

Sales/Discounts/Sales
Liquidazione/Sconti/Saldi

Promotional sales/Special offers/Bargains
Vendita promozionale/Offerta speciale/Occasioni

cassiere/a	cashier	*kæʃíə*
commesso/a	shop assistant	*'ʃɒp əs'istənt*
merce	goods	*'gudz*
reparto	department	*dipá:tmənt*

5.4 ACQUISTI E SHOPPING

Can I help you? Do you need any help?
Desidera? Posso aiutarla?

Vorrei dare un'occhiata.
I'd like to have a look.
Vorrei vedere quel/quella ... in vetrina/sul banco/sullo scaffale.
I'd like to see that ... in the window/on the counter/on the shelf.

It's not for sale.
Non è in vendita.
Which colour do you prefer?
Quale colore preferisce?

Avete ...
Have you got ...
... altre marche/altri colori/altri modelli?
... any other brands/any other colours/any other models?
... qualcosa di ...
... something ...
... diverso/meglio/meno caro?
... different/better/cheaper?
... più chiaro/scuro?
... lighter/darker?
... più grande/piccolo?
... bigger/smaller?
... più leggero/pesante?
... lighter/heavier(thicker)?
... più recente/tipico?
... more up-to-date/typical?

It is sold out. New stocks will arrive in ... days.
È esaurito, arriverà fra ... giorni.

Può ordinarlo? Mi occorre entro … .
Could you order it, please? I need it by … .

GRANDE MAGAZZINO, SUPERMERCATO E CENTRO COMMERCIALE

Per orientarvi in un grande magazzino o in un centro commerciale, occhio alla segnaletica. Per individuare i generi che vi interessano, fate riferimento alla lista di negozi e generi commerciali posta all'inizio e rivolgetevi al servizio informazioni.

Dove sono i carrelli?
Where are the trolleys?
Dov'è il reparto … ?
Where is the … department?
Esiste una piantina del centro?
Is there a plan of the town centre?
Dov'è …
Where is …
 … l'ascensore/la scala mobile/l'uscita?
 … the lift/the escalator/the exit?
 … la cassa/l'ufficio reclami e cambi?
 … the cash desk/customer services office?

TESSUTI (ANCHE SINTETICI) E LANE

acrilico	acrylic	*əkrílik*
batista	batiste	*bætíst*
cachemere	cashmere	*'kæʃmiə*
cotone	cotton	*'kɒtən*
disegno	pattern	*'pætən*
a pois	polka dot pattern	*'pɒlkə 'dɒt 'pætən*
a quadretti	checked pattern	*'tʃekt 'pætən*
a righe	striped pattern	*'straipt 'pætən*

fantasia	patterned	*'pætənd*
scozzese	tartan pattern	*'ta:tən 'pætən*
elasticizzato	elasticized	*ilæstisaizd*
feltro	felt	*'felt*
fibra sintetica	synthetic fibre	*sinθétik 'faibə*
flanella	flannel	*'flænəl*
gabardina	gabardine	*'gæbədi:n*
irrestringibile	unshrinkable	*ʌnʃríŋkəbəl*
lana	wool	*'wul*
lino	linen	*'linən*
mussolina	muslin	*'mʌslin*
pelo di cammello	camelhair	*'kæməlheə*
raso	satin	*'sætin*
scampolo	remnant	*'remnənt*
seta	silk	*'silk*
shetland	shetland wool	*'ʃetlænd 'wul*
spugna	towelling	*'tauəliŋ*
taffetà	taffeta	*'tæfitə*
tela	canvas	*'kænvəs*
tulle	tulle	*'tju:l*
velluto	velvet	*'velvit*
velluto a coste	corduroy	*'kɔ:dərɔi*

È un tessuto fatto a mano?
Is this fabric hand-woven?
Di che altezza sono le pezze?
What is the width of the rolls?
Lo avete in tinta unita?
Have you got it in a plain colour?
Quanto viene al metro?
How much is it the metre?

Mixture 60% linen/40% synthetic fibre.
Misto lino 60%/fibra sintetica 40%.

ABBIGLIAMENTO E MAGLIERIA PRONTA

abito (donna)	dress	*'dres*
camicia	shirt	*'ʃɜ:t*
camicetta	blouse	*'blauz*
canottiera	vest	*'vest*
cappotto	coat	*'kəut*
cappuccio	hood	*'hud*
costume da bagno	bathing costume	*'beiðiŋ 'kɒstju:m*
doppiopetto	double-breasted (jacket)	*'dʌbəlbrestid 'dʒækit*
felpa	plush sweater	*'plʌʃ 'swetə*
giacca	jacket	*'dʒækit*
giacca a vento	wind-cheater	*'wind tʃi:tə*
gilet	waistcoat	*'weistkəut*
giubbotto	sports jacket	*'spɔ:ts 'dʒækit*
golf	jumper/sweater	*'dʒʌmpə/ 'swetə*
gonna	skirt	*'skɜ:t*
grembiule	apron	*'eiprən*
impermeabile	raincoat	*'reinkəut*
maglia	jersey	*'dʒɜ:zi*
maglietta	vest	*'vest*
maglione	pullover (thick)	*'puləuvə*
pantaloncini	shorts	*'ʃɔ:ts*
pantaloni	trousers	*'trauzəz*
pelliccia	fur	*'fɜ:*
scollatura	neck line	*'neklain*
tailleur	suit	*'su:t*
vestito (uomo)	suit	*'su:t*

Vorrei un ... .
I'd like a ... .
Vorrei un ... per mio/a figlio/a.
I'd like a ... for my son/daughter.

5.4 ACQUISTI E SHOPPING

What size are you/is he/she?
Che taglia porta?

Porto/a la taglia ... italiana.
I am/He is/She is Italian size ... .
Avete altri colori?
Have you got any other colours?
Vorrei un colore che si intoni con questo.
I'd like a colour that matches this.
Posso provarlo?
Can I try it on?

The fitting booth is over there.
Si accomodi nel camerino di prova.
How does it fit?
Come le sta?

Va bene.
It's all right.
È un po' ...
It's a little too ...
... stretto/largo.
... tight/big.
... lungo/corto.
... long/short.
... abbondante/aderente.
... ample/close-fitting.
Vorrei la taglia superiore/inferiore.
I'd like a bigger/smaller size.
Che tessuto è?
What material is it?
Potete fare delle modifiche?
Could you make some alterations?
Potete fare l'orlo?
Could you do the hem?
Quanto tempo ci vuole?
How long will it take?

ARTICOLI DA CUCITO

ago	needle	*'ni:dəl*
automatico (bottone)	press stud	*'pres 'stʌd*
ditale	thimble	*'θimbəl*
filo	thread	*'θred*
spillo	pin	*'pin*
spillo di sicurezza	safety pin	*'seifti 'pin*

BIANCHERIA INTIMA, NOTTE E BAGNO

accappatoio	towelling wrap	*'tauəliŋ 'wræp*
biancheria	lingerie/ underwear	*'lindʒəri/ 'ʌndəweə*
calzamaglia	tights	*'taits*
calze	stockings	*'stɒkiŋz*
calzini	socks	*'sɒks*
camicia da notte	night dress	*'naitdres*
giarrettiere	garter	*'ga:tə*
guaina	girdle	*'gɜ:dəl*
mutande	underpants/ panties	*'ʌndəpænts/ 'pæntiz*
pigiama	pyjamas	*pidʒá:məz*
reggicalze	suspender belt	*səspéndə 'belt*
reggiseno	brassière, bra	*'brəzíə, 'brɒ*
sottogonna	waist slip	*'weist 'slip*
sottoveste	petticoat	*'petikəut*
vestaglia	dressing gown	*'dressiŋ 'gaun*

5.4 ACQUISTI E SHOPPING

CAPPELLI, CRAVATTE E ACCESSORI

berretto	cap	*'kæp*
bottoni	buttons	*'bʌtənz*
bretelle	braces	*'breisiz*
cappello	hat	*'hæt*
cravatta	tie	*'tai*
farfalla	bowtie	*'bəutai*
fibbia	buckle	*'bʌkəl*
gemelli	cufflinks	*'kʌfliŋks*
ombrello	umbrella	*ʌmbrélə*
papalina	skull cap	*'skʌlkæp*
scialle	shawl	*'ʃɔ:l*
sciarpa	scarf	*'ska:f*

PELLETTERIA E VALIGERIA

borsa	bag	*'bæg*
borsetta	purse	*'pɜ:s*
camoscio	chamois leather	*ʃǽmi: 'leðə*
cervo	deerskin	*'diəskin*
cinghiale	pigskin	*'pigskin*
cintura	belt	*'belt*
daino	doeskin	*'dəuskin*
guanti	gloves	*'gləuvz*
pelle	leather	*'leðə*
pelle scamosciata	suede	*'sweid*
portachiavi	keyring	*'ki:riŋ*
portafogli	wallet	*'wɔ:lit*
portamonete	purse	*'pɜ:s*
renna	reindeer leather	*'reindiə 'leðə*
valigia	suitcase	*'su:tkeiz*

CALZATURE E RIPARAZIONI

ballerine	ballet shoes	*'bælit 'ʃu:z*
capretto	kid	*'kid*
cuoio grasso	supple leather	*'sʌpəl 'leðə*
mocassini	moccasins	*'mɒkəsins*
pantofole	slippers	*'slipəz*
sandali	sandals	*'sændəlz*
scarpe	shoes	*'ʃu:z*
da ginnastica	gym shoes	*'dʒim 'ʃu:z*
scarponi	boots	*'bu:ts*
soprascarpe	overshoes	*'əuvəʃu:z*
stivali/etti	boots	*'bu:ts*
suola	sole	*'səul*
di corda	rope sole	*'rəup 'səul*
di cuoio	leather sole	*'leðə 'səul*
di gomma	rubber sole	*'rʌbə 'səul*
di para	grip sole	*'grip 'səul*
tela	canvas	*'kænvəs*
tomaia	upper	*'ʌpə*
vacchetta	cowhide	*'kauhaid*
vernice	patent leather	*'peitənt 'leðə*
vitello	calf	*'ka:f*
zoccoli	clogs	*'klɒgz*

Vorrei provare quelle scarpe in vetrina.
I'd like to try on those shoes in the window.
Vorrei un paio di scarpe comode/eleganti/robuste.
I'd like a pair of comfortable/elegant/hard-wearing shoes.
Le vorrei con il tacco alto/basso.
I'd like them with a high/low heel.
Porto il ... italiano.
I am Italian size ... .
Sono strette/larghe.
They are too narrow/wide.

Mi fanno male.
They hurt me.
Vorrei provare la misura sopra/sotto.
I'd like to try a bigger/smaller size.
Ha lo stesso modello su una forma più larga/stretta?
Have you got the same model with a broader/narrower mould?
Avete le mezze misure?
Have you got any half sizes?
Ha anche altri colori?
Have you got any other colours?
È vero cuoio?
Is it real leather?
Vorrei del lucido da scarpe/dei lacci.
I'd like some shoe polish/some shoelaces, please.
Può lucidarmi/ricucirmi/ripararmi/risuolarmi le scarpe?
Can you shine/sew up/repair/put new soles on my shoes for me?
Vorrei rifare i tacchi.
I'd like them reheeled, please.
Quando saranno pronte?
When will they be ready?

ALIMENTARI

Attenzione: anche all'estero, sui prodotti alimentari devono essere indicate sia la data entro la quale si consiglia di consumare preferibilmente il prodotto che quella di scadenza:

Best before ... .
Da consumarsi preferibilmente entro il ... .
Expiry date ... .
Scade il ... .

Inoltre, sui prodotti ci possono essere importanti raccomandazioni come le seguenti:

Store in the refrigerator.
Conservare in frigorifero.
Consume within ... days after opening.
Prodotto da consumarsi entro ... giorni dall'apertura.
Do not thaw before use.
Non scongelare prima dell'uso.

Qui di seguito elenchiamo alcune espressioni concernenti perlopiù la preparazione, la confezione e la presentazione della merce, alcune delle quali presenti sulle etichette dei prodotti, in modo da mettervi in grado di stabilire se il prodotto stesso è affidabile o meno. Per l'elenco dei cibi e delle bevande, si deve fare riferimento al lessico della situazione Alimentazione, nell'area 3, dove si trovano specificati anche i vari tagli della carne. Infine, per quanto riguarda pesi e misure di capacità, essi sono elencati nell'Area 1.

aromi naturali	natural flavouring	*ˈnætʃərəl ˈfleivəriŋ*
barattolo	jar	*ˈdʒa:*
caffè	coffee	*ˈkɒfi*
in grani	coffee beans	*ˈkɒfi ˈbi:nz*
macinato	ground coffee	*ˈgraund ˈkɒfi*
confezionato	packaged c.	*ˈpækidʒd*

5.4 ACQUISTI E SHOPPING

conservanti/ senza conservanti	preservatives/ no preservatives	*prizɜ́:vətivz nəu prizɜ́:vətivz*
dadi per brodo	stockcubes	*'stɒkju:bz*
essiccato	desiccated	*'desikeitid*
farina	flour	*'flauə*
di grano	wheat flour	*'hwi:t*
di mais	maize flour	*'meiz*
di soia	soya flour	*'sɔiə*
integrale	wholemeal flour	*'həulmi:l*
fetta	slice	*'slais*
latte	milk	*'milk*
intero	full cream milk	*'fulkri:m 'milk*
pastorizzato	pasteurized m.	*'pa:stəraizd 'milk*
parz. scremato	semi-skimmed m.	*'semi–skimd 'milk*
scremato	skimmed milk	*'skimd 'milk*
UTH	long life milk	*'lɒŋlaif 'milk*
lievito	yeast (vivo)/baking powder (chimico)	*'ji:st/ 'beikiŋ 'paudə*
liofilizzato	freeze-dried	*'fri:zdraid*
precotto	pre-cooked	*pri:kúkt*
scatoletta	tin	*'tin*
sfuso	unpackaged	*ʌnpǽkidʒd*
sotto sale	salted	*'sɔ:ltid*
sotto vuoto	vacuum-packed	*'vækjuəm – 'pækt*
surgelato	frozen	*'frəuzən*

Dove si trova un negozio ...
Where is there a ...

... di alimentari/di macelleria?
... grocer's/butcher's?

... di specialità gastronomiche?
... gourmet shop?
... di prodotti dietetici e per diabetici?
... shop selling diabetic and dietetical products?

Quanto costa un chilo di ... ?
How much is a kilo of ... ?

Vorrei ...
I'd like ...

... del pane.
... some bread.
... due bistecche di manzo.
... two beefsteaks.
... mezzo chilo di fettine di vitella.
... half a kilo of veal cutlets.
... un barattolo di pelati.
... a tin of peeled tomatoes.
... un chilo di patate.
... a kilo of potatoes.
... un etto di prosciutto.
... a hundred grammes of ham.
... un litro di latte.
... a litre of milk.
... un vasetto di marmellata.
... a jar of marmalade/jam.
... una bottiglia di birra.
... a bottle of beer.
... una fetta sottile/spessa di pancetta.
... a thin/thick rasher of bacon.
... una porzione di frittata.
... a portion of omelette.
... una scatoletta di tonno.
... a tin of tuna fish.

Is that everything?
Basta così?

We are out of it.
L'abbiamo terminato.
Do you want anything else?
Vuole altro?

Fate panini?
Do you do sandwiches?
Un panino con ... .
A sandwich with ... .
È fresco?
Is it fresh?
Posso servirmi da solo?
Can I help myself?
Mi dà un sacchetto?
Would you give me a bag, please?

CASALINGHI, STOVIGLIE E UTENSILI

accendigas	gas-lighter	*'gæslaitə*
apribottiglie	bottle opener	*'bɒtəl 'əupənə*
apriscatole	tin opener	*'tin 'əupənə*
cacciavite	screwdriver	*'skru:draivə*
candele	candle	*'kændəl*
cavatappi	corkscrew	*'kɔ:kskru:*
cassetta degli attrezzi	toolbox	*'tu:lbɒks*
chiodo	nail	*'neil*
coltello	knife	*'naif*
detersivo	detergent	*ditɜ̀:dʒənt*
da bucato	washing detergent	*'wɔʃiŋ ditɜ̀:dʒənt*
da lavastoviglie	dishwasher d.	*'diʃwɔʃə ditɜ̀:dʒənt*
da lavatrice	automatic washing d.	*ɔ:təmǽtik 'wɔʃiŋ ditɜ̀:dʒənt*
da piatti	washing up d.	*'wɔʃiŋ ʌp ditɜ̀:dʒənt*

fiammiferi da cucina	household matches	*'haushəuld 'mætʃiz*
forbici	scissors	*'sizəz*
grattugia	grater	*'greitə*
guanti di plastica	plastic gloves	*'plæstik 'gləuvz*
martello	hammer	*'hæmə*
mollette da bucato	clothes pegs	*'kləuðz pegz*
nastro adesivo	sticky tape	*'stikiteip*
nastro isolante	insulating tape	*'insjuleitiŋ 'teip*
padella	frying pan	*'fraiŋ pæn*
paletta per la spazzatura	dustpan	*'dʌstpæn*
pattumiera	dustbin	*'dʌstbin*
piatti/bicchieri di carta	paper plates/ glasses	*'peipə 'pleits gla:siz*
scolapasta	colander for pasta	*'koləndə fɔ: 'pæstə*
scopa	broom	*'bru:m*
sacchetti per la spazzatura	rubbish bags	*'rʌbiʃ 'bægz*
secchio	bucket	*'bʌkit*
sedia a sdraio	deck chair	*'dektʃeə*
straccio per pavimenti	floor cloth	*'flɔ:klɒθ*
sveglia	alarm clock	*əlá:m 'klɒk*
tappo	cork/cap	*'kɔ:k/ 'kæp*
teglia	baking pan	*'beikiŋ 'pæn*
temperino	pen-knife	*'pen 'naif*
tenaglie	pliers	*'plaiəz*
thermos	thermos flask	*'θɜ:mɒs 'flæsk*
tovaglioli di carta	paper napkins	*'peipə 'næpkinz*
viti	screws	*'skru:s*

5.4 ACQUISTI E SHOPPING

ELETTRICITÀ, ELETTRODOMESTICI

antenna	aerial	*'eəriəl*
aspirapolvere	vacuum cleaner	*'veikjuəm'kli:nə*
batteria (pila)	battery	*'bætəri*
calcolatrice	calculator	*'kælkjuleitə*
ferro da stiro (portatile)	iron (travelling)	*'aiən 'træ:vəliŋ*
forno microonde	microwave oven	*'maikrəweiv 'əuvən*
frigorifero	refrigerator	*rifridʒəréitə*
frullatore	blender	*'blendə*
lampada	lamp	*'læmp*
lampadina	light bulb	*'laitbʌlb*
lavastoviglie	dishwasher	*'diʃwɔ:ʃə*
lavatrice	washing machine	*'wɔ:ʃiŋ məʃí:n*
presa multipla	multiple socket	*'mʌltipəl'sɔ:kit*
prolunga	extension lead	*iksténʃn'led*
radiosveglia	radio alarm clock	*'rædiəu əlá:m 'klɒk*
rasoio elettrico	eletric razor	*'ilektrik'reizə*
registratore	cassette recorder	*kæsét rikɔ́:də*
spina	electric plug	*'ilektrik'plʌg*
televisore	television set	*teləvíʃn'set*
a colori	colour t.s.	*'kɒlə teləv'iʃn 'set*
in bianco e nero	black and white television set	*'blæk ənd'hwait teləvíʃn'set*
portatile	portable t.s.	*'pɔ:təbəl teləvíʃn'set*
tostapane	toaster	*'təustə*
videocamera	videocamera	*'vidiəukæmərə*
videocassetta	videocassette	*vidiəukæsét*
videogioco	videogame	*'vidiəugeim*
videoregistratore	videorecorder	*'vidiəurikɔ:də*

DISCHI, STEREOFONIA E ALTA FEDELTÀ

amplificatore	amplifier	*'æmplifaiə*
autoradio	car radio	*'ka:'rædiəu*
casse/cuffie - stereofoniche	stereo loudspeakers/earphones	*'steriəu 'laudspi:kəz/ 'iəfəunz*
cassetta	cassette	*'kæsət*
disco	record	*'rekəd*
giradischi	record player	*'rekəd'pleiə*
lettore di CD	CD player	*sidi'pleiə*
radio portatile	portable radio	*'pɔ:təbəl'reidiəu*
registratore	recorder	*rikɔ́:də*
stereo	stereo	*'steriəu*

Vorrei ... pile come queste.
I'd like ... batteries like these.
Come funziona?
How does it work?
Quanto dura la garanzia?
How long is the guarantee for?
Qual è il voltaggio? È necessario un trasformatore?
What is the voltage? Do I need a transformer?
Vorrei un adattatore per una spina italiana.
I'd like an adaptor for an Italian plug.
Può indicarmi un riparatore radio-TV?
Can you suggest a radio and TV repairers?
Credo che questo ... sia rotto, può ripararlo?
I think this ... is broken. Could you repair it?
È in garanzia.
It is under guarantee.

It cannot be repaired.
Non si può riparare.

It's not worth repairing it, because it will cost ... .
Non le conviene ripararlo, perché spenderà ... .
It will be ready on Friday.
Sarà pronto per venerdì.

Avete dei dischi/delle cassette di musica classica/folk/leggera/jazz?
Have you got any classical/folk/pop/jazz music records/cassettes?

LIBRERIA, EDICOLA

Dove si trova una libreria?
Where can I find a bookshop?
Può indicarmi un negozio di stampe e incisioni?
Can you tell me where there is a shop for prints and engravings?
Conosce una libreria antiquaria?
Do you know an antiquarian bookshop?
Vorrei la carta automobilistica di ... .
I'd like a road map of ... .
Vorrei la cartina di ... .
I'd like a map of ... .
Vorrei una guida turistica di ... in italiano.
I'd like a tourist guide to ... in Italian.
Vorrei un libro su ... con belle illustrazioni.
I'd like a book on ... with nice pictures.
Vorrei un dizionario italiano/inglese.
I'd like an Italian/English dictionary.
Avete libri/giornali in italiano?
Do you keep books/newspapers/periodicals in Italian?
Avete poster/locandine?
Do you keep posters/theatre bills?
Avete un notiziario con il programma degli spettacoli?
Have you got a news-sheet of the entertainments on?

CARTOLERIA E ARTICOLI DA DISEGNO

album da disegno	sketch pad	*ˈsketʃpæd*
bloc notes	note pad	*ˈnəutpæd*
buste	envelopes	*ˈenvələps*
carboncino	charcoal	*ˈtʃaːkəul*
carta	paper	*ˈpeipə*
carbone	carbon paper	*ˈkaːbən ˈpeipə*
da imballo	wrapping paper	*ˈræpiŋ ˈpeipə*
da lettere	writing paper	*ˈraitiŋ ˈpeipə*
da regalo	gift wrapping p.	*ˈgift ˈræpiŋ ˈpeipə*
cartolina	postcard	*ˈpəustkaːd*
china	Indian ink	*ˈindiən ˈiŋk*
colla	glue	*ˈgluː*
colori	paints	*ˈpeints*
a olio	oil paints	*ˈɔil ˈpeints*
a tempera	tempera paints	*ˈtempərə ˈpeints*
acrilici	acrylic paints	*əkrílik ˈpeints*
ad acquerello	water colours	*ˈwɔːtəkɒləz*
elastici	elastic bands	*ilǽstik ˈbændz*
etichette	labels	*ˈleibəlz*
evidenziatore	highlighter	*ˈhailaitə*
fogli da disegno	sheets of drawing paper	*ˈʃiːts ɒv ˈdrɔːiŋ ˈpeipə*
graffetta	staple	*ˈsteipəl*
gomma	rubber	*ˈrʌbə*
inchiostro	ink	*ˈiŋk*
lapis	pencil	*ˈpensəl*
mine	pencil leads	*ˈpensəl ˈledz*
matita	crayon	*ˈkreiən*
nastro macchina da scrivere	typewriter ribbon	*ˈtaipraitə ˈribən*
pastelli	pastels	*ˈpæstəlz*
penna	pen	*ˈpen*
biro	biro	*ˈbaiərəu*

5.4 ACQUISTI E SHOPPING

stilografica	fountain pen	*'fauntin pen*
pennarello	felt tipped pen	*'felt 'tipt pen*
pennello	brush	*'brʌʃ*
portamine	propelling pencil	*prəpéliŋ 'pensəl*
puntine	drawing pins	*'drɔ:iŋ pins*
quaderno	exercise book	*'eksəsaiz 'buk*
a quadretti	e.b. with squared paper	*wið 'skweəd 'peipə*
a righe	e.b. with lined paper	*wið 'laind 'peipə*
ricambio (per biro)	refill	*rifíl*
righello	ruler	*'ru:lə*
spago	string	*'striŋ*
squadra	set-square	*'set-skweə*
taccuino	notebook	*'nəutbuk*
temperamatite	pencil sharpener	*'pensəl 'ʃa:pənə*
tela	canvas	*'kænvəs*
tubetto di colore	tube of paint	*'tju:b ɒv 'peint*

LAVANDERIA E STIRERIA

lavaggio a mano	hand washing	*'hænd 'wɔ:ʃiŋ*
a secco	dry cleaning	*'drai 'kli:niŋ*
ad acqua	washing	*'wɔ:ʃiŋ*
lavanderia a gettone	laundrymat	*'lɔ:ndrimæt*

Vorrei far lavare a secco questo vestito.
I'd like to have this dress/suit dry cleaned.

It will have to be washed.
È necessario lavarlo ad acqua.

Vorrei far stirare questa gonna.
I'd like to have this skirt pressed.
È una macchia di ... .
It's a/an ... stain.

This stain won't come out.
Questa macchia è indelebile.

È un capo delicato.
It is a delicate garment.
Fate rammendi invisibili?
Do you do invisible mending?
Per quando sarà pronto?
When will it be ready?
Mi occorre prima di ... .
I need it before ... .
Questo capo non è mio.
This garment isn't mine.
Qui c'è un buco.
There's a hole here.

5.4 ACQUISTI E SHOPPING

OROLOGERIA, GIOIELLERIA E BIGIOTTERIA

alabastro	alabaster	*æləbá:stə*
ambra	amber	*'æmbə*
ametista	amethyst	*'æmiθist*
argentato	silver plate	*'silvəpleit*
argento	silver	*'silvə*
avorio	ivory	*'aivəri*
corallo	coral	*'kɒrəl*
cristallo	crystal	*'kristəl*
diamante	diamond	*'daimənd*
giada	jade	*'dʒeid*
lacca	lacquer	*'lækə*
laminato	laminate	*'læmineit*
madreperla	mother of pearl	*'mʌðə ɒv peəl*
onice	onyx	*'ɒniks*
oro	gold	*'gəuld*
oro bianco	white gold	*'hwaitgəuld*
perla	pearl	*'peəl*
pietra dura	semi-precious stone	*'semi-preʃəs 'stəun*
placcato	plated	*'pleitid*
platino	platinum	*'plætinəm*
quarzo	quartz	*'kwɔ:ts*
rame	copper	*'kɒpə*
rubino	ruby	*'ru:bi*
smalto	enamel	*inǽməl*
smeraldo	emerald	*'emərəld*
topazio	topaz	*'təupæz*
turchese	turquoise	*'tɜ:kwɔiz*
vetro	glass	*'gla:s*
zaffiro	sapphire	*'sæfaiə*
cinturino di	strap	*'stræp*
acciaio	steel bracelet	*'sti:l 'breislit*
oro	gold bracelet	*'gəuld 'breislit*
coccodrillo	crocodile strap	*krɒkədáil 'stræp*

pelle	leather strap	*'leðə 'stræp*
carica	winding	*'waindiŋ*
cassa	case	*'keiz*
cronometro	chronometer	*krənɒ́mitə*
lancetta	hand	*'hænd*
movimento	movement	*'mu:vmənt*
automatico	automatic m.	*ɔ:təmǽtik 'mu:vmənt*
al quarzo	quartz movement	*'kwɔ:ts 'mu:vmənt*
orologio	watch/clock	*'wɒtʃ/ 'klɒk*
da polso	wrist watch	*'ristwɒtʃ*
a pendolo	pendulum clock	*'pendjuləm 'klɒk*
da muro	wall clock	*'wɔ:l 'klɒk*
quadrante	dial	*'daiəl*
con datario	d. with calender day	*wið 'kæləndə 'dei*
con calendario	d. with date	*wið 'deit*
sveglia	alarm clock	*əlá:m 'klɒk*
accendino	cigarette lighter	*sigərét 'laitə*
anello	ring	*'riŋ*
astuccio	jewellery case	*'dʒu:əlri 'keiz*
braccialetto	bracelet	*'breislit*
cammeo	cameo	*'kæmi:əu*
castone	setting	*'setiŋ*
catena	chain	*'tʃein*
collana	necklace	*'nekleis*
cornice	photograph frame	*'fəutəgra:f 'freim*
croce	cross	*'krɒs*
fede nuziale	wedding ring	*'wediŋ 'riŋ*
fermacravatta	tiepin	*'taipin*
medaglia	medal	*'medəl*
montatura	mounting	*'mauntiŋ*
orecchini	earrings	*'iəriŋz*
pendente	pendant	*'pendənt*
portasigarette	cigarette case	*sigərét 'keiz*
spilla	brooch	*'brəutʃ*

Mi si è fermato l'orologio. Può ripararlo?
My watch has stopped. Can you repair it, please?
Vorrei cambiare la pila dell'orologio.
I'd like to change the battery in my watch.
Va avanti/indietro di ... minuti ogni ora.
It gains/loses ... minutes an hour.
Vorrei cambiare il cinturino/il vetro.
I'd like to change the strap/the glass.
Può riparare la sicura di questa collana?
Can you repair the safety catch on this necklace?
Sarà pronto per ... .
It will be ready by ... .
Vorrei vedere un orologio ...
I'd like to see a ... watch, please.
  ... subacqueo/con cronometro.
  ... subaqueous/stop- ...
  ... di marca/economico.
  ... good quality/cheap ...
Che pietra/materiale è?
What stone/material is it?
Si può avere un'altra montatura?
Can I have another mounting on it?
Ha il certificato di garanzia?
Has it got a certificate of guarantee?
Quanto pesa questo anello?
How much does this ring weigh?
Di quanti carati è?
How many carats is it?
Queste perle sono coltivate?
Are these cultivated pearls?
Può farmele infilare?
Could you have them strung for me?
Vorrei qualcosa di meno costoso.
I'd like something less expensive.

FOTOGRAFIA

autoscatto	self-timer	*'selftaimə*
cavalletto	tripod	*'traipəd*
cinepresa	cine-camera	*'sini-kæmərə*
diaframma	aperture	*'æpətjuə*
esposimetro	light meter	*'lait 'mitə*
esposizione	exposure	*ikspə́uʒə*
filtro	filter	*'filtə*
formato	format	*'fo:mæt*
fotografia	photograph	*'fəutəgra:f*
fuoco	focus	*'fəukəs*
grandangolo	wide-angle	*'waidængəl*
ingrandimento	enlargement	*inlá:dʒmənt*
inquadratura	shot	*'ʃɒt*
riavvolgimento	rewinding	*riwáindiŋ*
mirino	view-finder	*'vju:-faində*
negativo	negative	*'negətiv*
obiettivo	lens	*'lenz*
otturatore	shutter	*'ʃʌtə*
posa	shot	*'ʃɒt*
provini	proofs	*'pru:fs*
scatto	release	*rilí:z*
sottoesposto	underexposed	*ʌndəikspə́uzd*
sovraesposto	overexposed	*əuvəikspə́uzd*
stampa su	printing on	*'printiŋ ɒn*
carta		
lucida	glossy paper	*'glɒsi 'peipə*
opaca	matt paper	*'mat 'peipə*
sviluppo	development	*divéləpmənt*
tappo obiettivo	lens cover	*'lenz 'kəuvə*
teleobbiettivo	telephoto lens	*telifə́utə 'lenz*

Vorrei una pellicola ... per questa macchina.
I'd like a ... film for this camera, please.

... in bianco e nero/a colori ...
... black-and-white/colour ...
... da 24/36 pose ...
... 24/36 shot ...
... da 100/200/400/1000 ASA ...
... 100/200/400/1000 ASA ...
... da ... DIN ...
... ... DIN ...
... a grana fine/per luce artificiale/normale ...
... fine-grained/an artificial light type/daylight type ...
Vorrei un caricatore/un rullino/un dischetto.
I'd like a cartridge/roll-film/diskette.
Questa pellicola è scaduta.
This film has expired.
Vorrei una cassetta da ... minuti per questa videocamera.
I'd like a ... minute cassette for this videocamera.
Vorrei sviluppare questo rullino di diapositive.
I'd like to have this film-slide roll developed, please.
Vorrei ristampare questi negativi.
I'd like to have these negatives reprinted.
Sono pronte per domani.
They will be ready for tomorrow.
Vorrei vedere una macchina fotografica ...
I'd like to see a(n) ... camera.
... manuale/automatica.
... manual/automatic ...
... a buon mercato/usa e getta.
... cheap/disposable ...
Mi può togliere il rullino?
Can you take the film out for me, please?
Può riparare la mia macchina fotografica?
Can you repair my camera?

You will have to leave me the camera for a few days.
Mi dovrà lasciare la macchina per qualche giorno.

It's not worth repairing.
Non le conviene ripararla.

Vorrei fare 4 fototessera.
I'd like to have four passport photos done.

OTTICO

binocolo	binoculars/ opera glasses	*binɒkjuləz/ 'ɒpərə 'gla:siz*
lente d'ingran-dimento	magnifying glass	*'mægnifaiŋ 'gla:s*
lenti a contatto	contact lenses	*'kɒntəkt 'lenziz*
morbide	soft c. l.	*'sɔ:ft 'kɒntəkt 'lenziz*
rigide	hard c. l.	*'ha:d 'kɒntəkt 'lenziz*
usa e getta	disposable c. l.	*dispəúzəbəl 'kɒntəkt 'lenziz*
montatura	frame	*'freim*

Vorrei vedere un paio di occhiali da sole.
I'm looking for a pair of sunglasses.
Vorrei degli occhiali da lettura con lenti da 1 diottria.
I'd like some reading glasses with 1 dioptrie lens.
Ho rotto gli occhiali, è possibile ripararli in poco tempo?
I have broken my glasses. Can I get them repaired quickly?

They will be ready for tomorrow.
Sono pronti per domani.

Mi può allargare/restringere la montatura?
Could you loosen/tighten my frames, please?
Vorrei una lente morbida [marca] con ... gradazione.
I'd like a soft (marca) lens with ... graduation.
Vorrei ... per lenti a contatto.
I'd like some ... for contact lenses.

... del liquido multiuso ...
... multi-use liquid ...
... della soluzione salina ...
... saline solution ...

TABACCHERIA

In alcuni paesi è possibile acquistare francobolli e valori bollati anche in tabaccheria, ma per quanto riguarda questi generi si veda la voce Posta, Area 3.3.

bocchino	cigarette-holder	*sigərét 'həuldə*
cartine	papers	*'peipəz*
filtro	filter	*'filtə*
gas/benzina per accendino	lighter gas/petrol	*'laitə 'gæs/ 'petrəl*
nettapipe	pipe cleaners	*'paip 'kli:nəz*
pipa	pipe	*'paip*
scovolini	pipe scrape	*'paip 'skreip*
sigaretta con/ senza filtro	filter-tipped/ -less cigarette	*'filtə-tipt/ 'filtəlis sigərét*
sigaro	cigar	*sigá:*
tabacco	tobacco	*təbǽkəu*
da fiuto	snuff tobacco	*'snʌf təbǽkəu*
da masticare	chewing tobacco	*'tʃju:iŋ təbǽkəu*
da pipa	pipe tobacco	*'paip təbǽkəu*
per sigarette	cigarette tobacco	*sigərét təbǽkəu*

Vorrei ...
I'd like ...
... un pacchetto/una stecca di ... .
... a packet/a carton of ... .
... dei fiammiferi/un accendino usa e getta.
... some matches/a disposable lighter.
... dei sigari.
... some cigars.

ARTIGIANATO E PRODOTTI TIPICI

bisquit	bisque	*'bisk*
cartapesta	papier maché	*'peipəma:ʃə*
damaschino	damask	*'dæməsk*
ferro battuto	wrought iron	*'rɔ:t 'aiən*
giunco	rush	*'rʌʃ*
maiolica	majolica	*məjɒ́likə*
ottone	brass	*'bra:s*
peltro	pewter	*'pjutə*
pietre dure	semi-precious stones	*'semi-preʃəs 'stəunz*
pizzo	lace	*'leis*
porcellana	porcelain	*'po:səlein*
rame	copper	*'kɒpə*
ricami	embroidery	*imbrɔ́idəri:*
seta	silk	*'silk*
soprammobile	ornament	*'ɔ:nəmənt*
statuina	statuette	*stætjuėt*
stampe popolari	folk posters/ prints	*'fɔ:k 'pəustəz/ 'prints*
tappeto	rug	*'rʌg*
terracotta	earthenware	*'ɜ:θənweə*
tombolo	pillow-lace	*'piləuleis*
vimini	wicker	*'wikə*

Quali sono i prodotti artigianali/gastronomici tipici?
What handicrafts/gastronomical products are typical?
È fatto a mano?
Is it handmade?

5.4 ACQUISTI E SHOPPING

DAL FIORAIO

azalea	azalea	*əzéiliə*
begonia	begonia	*bigəúnjə*
bulbo	bulb	*ˈbʌlb*
camelia	camellia	*kəmí:liə*
ciclamino	cyclamen	*ˈsikləmən*
crisantemo	chrysanthemum	*krisǽnθəməm*
fucsia	fuchsia	*ˈfju:ʃə*
gardenia	gardenia	*ga:dí:niə*
garofano	carnation	*ˈka:nneiʃn*
gelsomino	jasmine	*ˈdʒæsmin*
geranio	geranium	*dʒəréiniəm*
giglio	lily	*ˈli:li*
giunchiglia	jonquil	*ˈdʒɒnkil*
margherita	daisy	*ˈdeisi*
mimosa	mimosa	*mimə́uzə*
narciso	daffodil	*ˈdæfədil*
orchidea	orchid	*ˈɔ:kid*
pianta	plant	*ˈplænt*
da appartamento	house plant	*hʌs ˈplænt*
grassa	succulent plant	*ˈsʌkjulənt ˈplænt*
da giardino	garden plant	*ˈga:dən ˈplænt*
rosa	rose	*ˈrəuz*
tulipano	tulip	*ˈtju:lip*
vaso	pot/vase	*ˈpɒt/ ˈveiz*
viola	violet	*ˈvaiəlit*

Vorrei …
I'd like …

… un mazzo di … .
… a bunch of … .

… dei fiori freschi/di campo.
… (some) fresh/wild flowers.

DECISIONE, CONTRATTAZIONE E PAGAMENTO

Quanto costa?
How much does it cost?
Può scrivermi il prezzo?
Could you write down the price for me?
Non voglio spendere più di … .
I don't want to spend more than … .
Mi può fare un po' di sconto?
Can you give me a discount?

I'm sorry, but prices are fixed.
Spiacente, i prezzi sono fissi.
There is a 20% discount.
C'è uno sconto del 20%.
It has already been discounted.
È già scontato.
Discount at the cashdesk.
Sconto alla cassa.

È possibile cambiarlo?
Can I change it if necessary?

Only the size can be changed.
È possibile cambiare solo la taglia.
If it has to be changed, keep the cash slip.
Se vuole cambiarlo, conservi lo scontrino.
Articles in the sale cannot be changed.
Gli articoli in liquidazione non si possono cambiare.

DECISIONE NEGATIVA

È troppo caro.
It is too expensive.
No, non è quello che cerco.
No, it is not what I am looking for.
Ripasso più tardi.
I will come back later.

5.4 ACQUISTI E SHOPPING

DECISIONE POSITIVA

Va bene, lo prendo.
All right, I will take it.
Può fare un pacchetto regalo/confezione robusta?
Can you gift wrap it/make the packaging very secure, please?
Può farmelo avere in hotel/al mio recapito?
Can you have it delivered to my hotel/address, please?
Può spedirmelo in Italia, a questo indirizzo?
Can you forward it to me in Italy at this address?

> **I will have to charge you ... forwarding expenses.**
> Dovrò addebitarle ... per le spese di spedizione.
> **No, but I can give you the name of a good forwarding agent.**
> No, ma posso indicarle uno spedizioniere di fiducia.
> **Anything else?**
> Qualcos'altro?
> **Please pay at the cash desk.**
> Paghi alla cassa.

Dov'è la cassa?
Where is the cash desk?
Posso avere la ricevuta/fattura?
Can I have a receipt/the invoice?
Posso pagare con un assegno?
Can I pay by cheque?

> **I am sorry. We don't accept cheques.**
> Spiacente, non accettiamo assegni.

Posso pagare con carta di credito, travellers' cheques?
Can I pay by credit card/travellers' cheque?
Posso pagare in euro?
Can I pay in euro?

> **Please keep the cash slip.**
> Conservi lo scontrino.

Vorrei cambiare questo articolo, ecco lo scontrino.
I'd like to change this article. Here is the cash slip.

INDICE DI PRONTO IMPIEGO